lua
barros
eu não nasci
mãe

lua
barros
**eu não nasci
mãe**

DIRETOR-PRESIDENTE:
Jorge Yunes

GERENTE EDITORIAL:
Luiza Del Monaco

EDITOR:
Ricardo Lelis

ASSISTÊNCIA EDITORIAL:
Júlia Braga Tourinho

PREPARAÇÃO DE TEXTO:
Augusto Iriarte

REVISÃO:
Bia Nunes de Sousa

COORDENADORA DE ARTE:
Juliana Ida

ASSISTÊNCIA DE ARTE:
Daniel Mascellani
Vitor Castrillo

PROJETO DE CAPA E MIOLO:
Pedro Fonseca

DIAGRAMAÇÃO:
Marianne Lépine

© 2020, Companhia Editora Nacional
© 2020, Lua Barros

1ª edição – São Paulo

DADOS INTERNACIONAIS DE CATALOGAÇÃO NA PUBLICAÇÃO (CIP) DE ACORDO COM ISBD

B277e   Barros, Lua

Eu não nasci mãe: o que precisei desaprender para aprender a ser mãe/Lua Barros. – São Paulo, SP: Editora Nacional, 2020.
168 p. ; 21cm x 14cm.

Inclui bibliografia.
ISBN: 978-85-04-02194-3

1. Maternidade. I. T'tulo.

2020-2423   CDD 306.8743
                        CDU 392.34

Elaborado por Vagner Rodolfo da Silva - CRB-8/9410

Índice para catálogo sistemático:
1. Maternidade 306.8743
2. Maternidade 392.34

NACIONAL

Rua Gomes de Carvalho, 1306 - 11º andar - Vila Olímpia
São Paulo – SP – 04547-005 – Brasil – Tel.: (11) 2799-7799
editoranacional.com.br – atendimento@grupoibep.com.br

sumário

Confira aqui um
conteúdo adicional.

Para Lydia, minha mãe, que me ensinou a ser.

Para Diana, minha irmã, que ampliou meu olhar.

Para Pedro, meu amor e parceiro nessa jornada maluca e incrível que é criar filhos. Sou esta mãe porque divido com você os cuidados com as crianças. Obrigada.

Para João, Irene, Teresa e Joaquim, meus filhos, minhas revoluções. Que honra ser a mãe de vocês. Obrigada por terem me escolhido.

prefácio

"Desculpa, eu nunca fui mãe de uma menina de seis anos." E foi com essa frase, depois de acalmar minha filha que chorava inconsolavelmente, que eu me desculpei por não ter resolvido da melhor forma uma discussão que tive com ela. Demorei um tempo até entender que eu não nasci sabendo ser mãe. E que na verdade ninguém nasce. A gente se torna. E para se tornar qualquer coisa, seja dentista, escritora, engenheira ou mãe é preciso ser atravessada por isso. Porque só se aprende a ser mãe ou pai sendo. A parentalidade não se dá de outra forma que não na presença de um fazer diário.

Acontece que em algum momento da nossa história a gente criou o mito da supermãe. A supermãe é aquela que tem todas as respostas e sabe perfeitamente como agir, sempre! Credo, quero não!

Entendi então que só depois de conseguir me desligar dessa imagem inalcançável, só depois de tirar esse peso enorme das minhas costas, depois de me autorizar a não saber tudo, é que eu poderia realmente me deixar afetar pelas relações que estabeleceria com os meus filhos a partir dali. Inteira, sem culpa (ou com menos culpa, talvez) e mais leve. Sim, com certeza mais leve.

É só através do afeto e da escuta que a gente pode conseguir vislumbrar alguma possibilidade de estar presente sendo mãe, pai ou qualquer outra coisa que precise do outro para acontecer.

Escute. Esse é o convite que Lua nos faz neste livro. Um livro que não é um guia, que não oferece listas ou regras.

Esta é uma história sobre estar disponível para o encontro.

Bárbara Amaral

o lugar da humanidade

Outro dia li um texto de Lua em que ela agradecia o fato de a mãe dela não ter sido mãe, apenas. Que incômodo ouvir isso. Antes de me sentir redimida – sim, porque é para esse lugar que Lua nos convida –, vesti a carapuça da culpa universal, aquela assombração do inconsciente que teima em nos apontar o que é correto e decente. Tinha 18 anos, uma existência a inventar e uma menina linda para cuidar. Como exercer, plena e íntegra, a maternidade assim? Muita culpa, viu?

Uma bobagem. É preciso ter vida para dar vida, e vida, afinal, é construção diária. Não dá para acolher por inteiro uma criança sem saber quem somos, o que queremos, nossas luzes e sombras. Luanda é sábia, percebeu isso cedo. Demorei mais. Cresci com uma ideia equivocada de inteireza, sem espaço para dúvidas, vazios, quedas. Por isso o peso de não se enquadrar à norma ao interpretar o grande papel no palco do feminino: o da criação dos filhos.

Se não havia certezas, sempre foi claro que o único caminho possível era o amor. Pela potência, pela dimensão, pelo alcance. Sentimento-alicerce para o reconhecimento e a construção de si, livre de fórmulas prontas, códigos de condutas e padrões sociais. Fundamento para a abertura ao outro, para a busca do diálogo, para o respeito à liberdade e às diferenças. Dúvidas e impasses surgiram, mas eu sabia por onde não queria caminhar.

Lua veio desse berço. É filha de um tempo em que não se falava em parentalidade positiva ou mesmo sobre uma "nova família" existindo entre nós. Ainda que, sim, buscássemos o vínculo amoroso horizontal e não violento com as nossas crianças e, sim, experimentássemos nós mesmos as várias maneiras de viver o amor.

De alguma maneira – e que ela me perdoe por isso – ela cresceu junto com a mãe, se tornou junto com a mãe. Serena, firme, corajosa, leal. Muitas vezes penso que eu devia ter titubeado menos, experimentado menos, arriscado menos. Mas aí ela vem e diz que não, que os vacilos, as questões e até mesmo os erros são a medida de humanidade de uma mãe, a minha medida, a medida dela até. Orgulho dessa menina que sempre soube cuidar, ouvir, apoiar. Orgulho dessa mulher que nos pega pela mão e nos acende.

Lydia Barros (mãe da Lua)

Introdução

Tem hora que é muito filho para pouca mãe. E durante um tempo, eu achava que era pela quantidade de crianças, mas não. Percebi que filhos são sempre muito. E que grande parte das angústias maternas vêm da fantasia de que vamos dar conta, vamos conseguir atender todas as demandas, vamos ocupar todos os espaços de dor, frustração, ausência. Vêm da ousadia de acreditar que seremos capazes de suprir todas as necessidades dos filhos. Conseguir entender o nosso tamanho e perceber nossos limites é libertador e bom para todo mundo, porque paramos de perseguir o impossível e construímos nossa humanidade para os que nos amam. Hoje sei que vou faltar para os meus, não porque eles são muitos, mas porque sempre falta mesmo. E o amor é o que nos orienta na reconstrução dessas pequenas rupturas. O exercício da parentalidade contém a falha, e a vida fica mais leve quando aprendemos essa lição.

Eu não nasci mãe. Aliás, nunca pensei muito sobre o assunto. Filha de uma jovem mãe solo, quando eu falava em crianças dizia que queria ter filhos, mas sem casar – para repetir a história da minha mãe. Era um jeito de dizer que ela fazia um belo trabalho e que eu a amava demais. Essa estrutura formal que chamamos de família com pai-mãe-filhos não habitava minhas fantasias. Mas a vida é uma senhora irônica, que ri da nossa cara. Aos 25 anos eu estava casando com o amor da minha vida, com quem tive quatro filhos. Mas eu não nasci mãe. Este livro é a prova disso. Foi por não saber – e por errar muito – que escolhi refazer minha rota. Foi pela vontade de aprender a ser uma mãe melhor e uma mulher mais inteira que comecei a estudar sobre parentalidade.

Ser mãe ou pai não é um destino nem um instinto. Um filho é um desconhecido, um mundo novo que precisamos desbravar sem rotas ou mapas. À medida que o tempo passa, essa viagem revela paisagens internas nunca vistas. Filhos são uma oportunidade para que a gente se (re)conheça.

É importante que você saiba: este livro não aponta uma direção nem indica o melhor caminho. O que você vai encontrar aqui é um convite para reflexões – nunca para julgamentos. A estrada que você percorreu como pai, mãe, madrasta, padrasto, cuidador, trouxe você até este ponto e isso tem o seu valor. Seja gentil e compassivo com a sua história, porque ela é feita de luz e sombra.

Ao longo destas páginas, em alguns momentos, você vai ficar incomodado e pensativo. Talvez algumas passagens façam você sentir raiva, frustração ou medo. E não tem problema algum nisso. Sinta tudo, não sufoque nada. Sentir é sempre o melhor caminho.

Você não vai encontrar aqui cinco dicas para acabar com as birras do seu filho, oito passos para educar crianças felizes ou ainda o segredo para fazer com que seu filho adolescente lhe escute. E a razão é simples. Nós precisamos ser sujeitos dessas dúvidas. Enquanto estivermos procurando no outro a resposta para problemas pessoais, podemos até encontrar algumas soluções, mas não seremos capazes de sustentá-las. Lembre-se: é sempre sobre o adulto.

Este livro chama para uma transformação, uma mudança, mas isso só é possível quando abrimos espaço interno. Afinal, você já tentou trazer móveis novos para dentro de casa sem tirar nada do lugar? Para decorar sua casa com novos objetos, é preciso vender o sofá velho, tirar a mesa de centro do lugar, pintar uma parede, derrubar outra. E nesse processo, inevitavelmente, vai acontecer uma bagunça, uma sensação de desordem, até que tudo se encaixe novamente.

À medida que esses novos pensamentos e verdades vão chegando, você vai sentir que ganha consciência, como num grande despertar. Não tenha medo e confie nesse processo. Sei que muitos de vocês podem ter dificuldade de abrir mão e deixar ir, mas verdades absolutas são prisões para nossa existência. Renda-se ao aprendizado.

Antes de seguir em frente, vou adiantar a coisa mais importante deste livro. A criança que estará sendo cuidada, amparada, observada, amada ao longo destas linhas será a sua criança interior. É a criança de dentro que precisa ser impactada, e não a que está na sua frente, seu filho ou sua filha. Entender isso será como virar uma chave, a chave da consciência.

Sem olhar para a sua criança interior, a jornada será sempre em busca de um culpado, que facilmente acabará por ser o seu filho. E você inevitavelmente vai se pegar dizendo que está estressado porque seu filho não obedece, que gritou porque sua filha não escuta, porque essa criança não faz nada do que você pede. Não caia nessa armadilha.

Dentro dessa pequena bolha do desenvolvimento pessoal em que moro, encontro algumas pessoas falando sobre o resgate da criança interior, e é muito engraçado como os adultos se comportam diante dessa imagem. Resgate da criança interior? Do que isso se trata? Dentro de mim existe uma criança? É comum ficarmos paralisados, nos apegarmos à razão e insistirmos que isso não faz o menor sentido. Mas vamos dar um passo além?

Quando falamos em criança interior, estamos falando de um recorte de tempo. Um período da infância em que tudo foi vivido, sentido e absorvido com muita intensidade, mas sem elaboração, ou seja, com uma emoção pura que abasteceu o nosso inconsciente.

Ninguém precisa ser mãe ou pai para acessar essa colcha de retalhos, mas, diante de um bebê que chora, uma criança que demonstra suas emoções ou que te enfrenta, não tem muita escapatória. Dizemos que filhos são espelhos, mas o reflexo é algo que a gente não necessariamente tangibiliza. Nos vemos diante daquela criança e isso nem sempre é bom ou gostoso, porque nesse momento acontece uma fissura no tempo e, sem aviso prévio, a gente se depara com emoções escondidas, sensações doloridas e lembranças borradas.

É difícil acolher quando não fomos acolhidos.

É difícil ouvir quando não fomos ouvidos.

É difícil até amar diante de tantos desamores e pequenas violências.

É por isso que falo sempre da potência que a parentalidade desperta.

Encarar essa criança interior ou olhar para esse período da vida nos leva a raízes profundas. Tiramos camadas importantes quando buscamos a razão dos incômodos e o que tem por trás de cada sensação que os desafios nos trazem. Dá um medo gigante, mas aí tem Guimarães para nos lembrar que o que a vida quer da gente é coragem.

Você é uma péssima mãe

Crianças reclamam. Reclamam após um dia incrível na piscina com os amigos. Reclamam depois de uma festa de aniversário sensacional, reclamam quando viajam para os lugares mais fantásticos e quase antirreclamação, como a Disney. Reclamam quando estão cansadas, com fome, com sono. Se estão entediadas, se estão agitadas. E sabe como os adultos reagem? Exatamente como as crianças, reclamando de volta. Nos magoamos e nos ressentimos pelo não reconhecimento do nosso esforço, seja físico, emocional ou financeiro.

Mas o que sentimos não ensina muito. As crianças precisam aprender sobre gratidão e entender seus privilégios quando eles existirem. E a gente faz isso tirando da frente a nossa necessidade de ser agradado. O reconhecimento não pode ser confundido com uma dívida, algo como: "Fiz tudo por você e o que recebo é esse comportamento?". Nossos filhos terão atitudes mesquinhas, isso é inevitável. Na hora em que coloco as cartas na mesa com esse peso, não estou construindo. Estou, na melhor das hipóteses, fazendo um consórcio emocional.

Precisamos, então, conseguir estabelecer canais de comunicação mais eficientes com as crianças. Gratidão não é moeda de troca.

Houve um tempo em que quis consertar meus filhos. Diante de comportamentos desafiadores naturais da infância e em uma casa com muitas crianças, a rotina de brigas, birras, choros desmedidos e fora (da minha) hora parecia algo longe do normal, que precisava ser corrigido e encerrado. A sensação de impotência e fracasso era constante. Uma voz me dizia baixinho, diariamente, depois de cada grito que eu dava: você é uma péssima mãe. E me sentia tomada de culpa, raiva e frustração. Mas nada disso me movimentava, me fazia mudar ou transformar aquele cenário. Estava tão acomodada no papel de vítima da minha própria vida que não agia. Sentia que alguém precisava fazer algo para mudar aquela situação, mas não me passava pela cabeça que esse alguém poderia ser era eu, afinal eu já fazia tudo.

Se repararmos bem, esse cenário já nos dá uma pista importante sobre o desafio da construção da relação com nossos filhos. Pais e mães esperam o comportamento ideal de suas crianças, ainda que não tenham, eles próprios, os comportamentos ideais. Estabelecemos um paradoxo em que os pequenos têm que saber cuidar das emoções, mas os grandes não praticam isso e, assim, entramos em um processo exaustivo com as crianças para que elas façam apenas o que a gente fala, não o que a gente faz. Era isso que estava acontecendo na minha casa.

Ser pai e mãe é uma das melhores jornadas de autoconhecimento que existe. Mas temos que querer percorrê-la. É preciso crescer para conseguir acolher. É preciso falar sobre crenças e sobre como vivemos uma vida de cegueira ou inconsciência, simples-

é preciso crescer para conseguir acolher

mente porque não fomos ensinados a questionar nossas emoções e ações. Quando desejo que alguém resolva a situação ou que meus filhos mudem, estou jogando para outra pessoa a responsabilidade de cuidar de questões que são minhas. Vivemos em busca de regras e direção, mas não olhamos para dentro. Não buscamos internamente essas respostas. Nos colocamos na vida de forma passiva e isso nos gera enormes problemas.

Nesse tempo de dúvidas e jogo de culpas, eu não estava desperta. Tudo o que eu tinha era o senso comum sobre como crianças devem ser criadas e como se educa um filho. E esse consenso me dizia que o problema era das crianças, não meu. Eram elas que precisavam mudar, me obedecer.

Quando nos tornamos pais e mães (madrastas e padrastos, ou qualquer outro tipo de cuidador), carregamos uma fantasia sobre o que é lidar com uma criança. Mas a verdade que se apresenta é que não fazemos a menor ideia do que é exercer essa função, simplesmente porque nunca nos questionamos sobre ela, nem tivemos que fazer isso antes. Como é que saberemos o que fazer ou como conduzir uma situação se nunca estivemos diante dela? Por que acreditamos sem questionar que o título de pai ou mãe nos confere autoridade ou mesmo autonomia para lidar com assuntos que são absolutamente novos e desconhecidos? No caminho para educar uma criança, o primeiro passo é rever a nossa postura. Não sabemos muito, e os melhores professores são as próprias crianças. Apenas esse entendimento já é uma enorme desconstrução para homens e mulheres que acreditaram que a função materna ou paterna é algo natural, inerente. A ideia de que nascemos já sabendo o que fazer e como lidar com crianças, grandes ou pequenas, pode atrapalhar um bocado uma jornada que, na verdade, se revela a cada pequeno acontecimento.

Como um bom livro que vai nos surpreendendo a cada capítulo. E acreditar que sabemos o final nos faz perder o interesse em folhear cuidadosamente cada página e ler, aprender e descobrir.

Confesso que resisti um pouco a entender esse conceito, e foi por isso que, quando me vi sem respostas, a minha primeira vontade foi culpar meus filhos e, na sequência, consertá-los. Afinal, eu deveria saber como contornar situações desafiadoras pelo simples fato de ser mãe deles. Mas não era isso o que estava acontecendo. Me lembro da sensação física de esgotamento e da total falta de prazer em ser mãe. Do acordar ao deitar, parecia que todos os instantes eram quedas de braço com as crianças e nada, nem comer, nem escovar os dentes, fluía. Todas as pequenas tarefas envolviam brigas, disputas e gritos – muitos gritos. Depois que eles dormiam e o dia na função de mãe terminava, eu me dividia entre chorar e me culpar. Lembro também de conversar com meu companheiro, e pai das crianças, que acreditava que era uma fase, que tudo ia melhorar com o tempo. Que tempo era esse, nenhum de nós tinha a resposta.

Bem nesse ponto da história, descobri a quarta gravidez e o desespero foi grande. Não cabia mais um bebê naquela cena. Não tinha nada sobrando em mim que pudesse oferecer para mais um filho. Mas ele viria. E a minha única opção naquele momento foi me abrir para o que não queria ver. Quando aceitei que precisava mudar alguma coisa, não tinha a menor ideia de que a mudança começaria por mim, pelas minhas posturas, pelas minhas atitudes e, principalmente, pelas minhas crenças. E assim foi. Ou melhor, está sendo.

É fundamental que a gente perceba que o que nos compõe como pais e mães são nossas bagagens de vida. Quando os filhos nascem ou chegam, eles trazem uma espécie de mala invisível do nosso passado. E, à medida que eles vão crescendo, a gente vai acessando essa mala de memórias e lembranças com muita facilidade, mesmo que isso não seja intencional. São nossas heranças emocionais.

Na prática, isso quer dizer que, quando menos esperamos, lá estamos nós falando ou fazendo coisas que nossos pais faziam e diziam, e que a gente jurou que jamais repetiria. Perceber esse comportamento espelhado pode ser doloroso e pesado, trazer sentimentos difíceis de decifrar e nos colocar diante de intensos questionamentos. Fazer diferente do que fizeram com a gente é uma grande decisão e, quando a gente falha nessa missão, o que é inevitável, sente uma enorme culpa e é assolado por muitas dúvidas. Se você fez essa escolha, seja paciente com você e com o tempo das mudanças. Diante dos questionamentos naturais que surgem, não pare.

diante dos questionamentos naturais que surgem, não pare

Será que tenho mesmo que criar meu filho de forma diferente? Estamos aqui, ora, sobrevivemos.

Sim, muitos adultos sentem que sobreviveram à infância. Passaram por lares violentos, apanharam, tiveram pais e mães ausentes, ficaram de castigo. Eles acreditam verdadeiramente que nada disso os atravessa ou tem a ver com como eles se sentem ou se relacionam com as pessoas, com o mundo à sua volta, agora. Mas essas cicatrizes são tão profundas que só o amor de um filho é capaz de revelar. E uma coisa é certa: dói demais olhar.

Não acredito que a gente deseje que nossos filhos simplesmente sobrevivam à infância deles, não é? Se eles puderem *viver*, melhor.

Toda a discussão sobre novos modelos de educação é ainda muito recente, e provavelmente nossos pais nem sequer chegaram a se questionar se realmente deveriam bater ou colocar de castigo. Existia uma única saída, e era essa que eles usavam. Se hoje pensar sobre essas falhas é doloroso, é porque existe espaço para que a gente consiga cuidar.

Temos a possibilidade de percorrer um caminho diferente com nossas crianças. Temos a possibilidade de estabelecer relações mais equilibradas e menos dolorosas ou pesadas. Temos a possibilidade de criar nossos filhos a partir de um lugar mais respeitoso e leve.

E, sim, é possível dar o que não tivemos, o que não foi nutrido em nós. Para isso precisamos formar novas referências e cuidar desse novo repertório. Certa vez ouvi do terapeuta Alexandre Coimbra Amaral uma citação ao médico cearense Adalberto Barreto, criador da terapia comunitária: "Carência gera competência". Isso nos dá a possibilidade de reinventar e reescrever a nossa história com as crianças da nossa vida.

Isso não significa que você vai aprender um novo método e uma ferramenta milagrosos para trocar o filho que você tem pelo filho que você gostaria de ter. Não significa que os problemas e dificuldades vão acabar ou que sua filha nunca mais fará uma cena de novela para juntar os brinquedos. Significa que você vai aceitar o convite do seu filho ou da sua filha para transformar a si próprio, para pensar as relações de outro jeito. Você vai se dispor a cuidar daquela sua mala, das suas emoções, para assim viver uma relação que lhe satisfaça e da qual você tenha um enorme orgulho.

2

Ainda dá tempo?

É o que se perguntam pais e mães carregando suas culpas e fantasiando uma relação totalmente livre de erros com seus filhos. É sempre tempo quando a gente quer. Mas o tempo serve para entender que nossas falhas são inerentes ao processo; serve também para que consigamos nos perdoar por qualquer erro ou exagero. Serve para que possamos perceber o valor do recomeço. Serve para que olhemos para nossos filhos e estejamos disponíveis para eles. Optamos pela construção de pontes seguras – e não de muros intransponíveis.

O tempo é rei para nos humanizar e fazer com que a gente entenda que sem sombra não há luz. E que estamos aprendendo juntos a existir.

Sou uma otimista incansável e acredito sempre na potência das relações. Acredito na força do perdão e do autoperdão para que a gente caminhe mais leve, porque carregando pedra não se vai longe.

Então, ainda dá tempo?

Sempre é tempo.

Começar algo novo nunca é exatamente fácil e o primeiro passo demanda um belo esforço. Acontece que vivemos numa era em que temos que saber de tudo, ter tudo pronto, na ponta da língua. Sentimos com muita frequência que não há espaço para falhas. Estamos focados no resultado e isso nos faz agir como se o processo tivesse perdido a importância ou como se a gente já nascesse com a sabedoria do mundo. E por que acreditamos nessa verdade não tão absoluta assim?

A maneira como lidamos com nossos erros ou com os processos de aprendizagem via de regra estão intimamente ligados com a infância. Como é possível aceitar a falha, se no passado ela te levava direto para um castigo? Se nos pesadelos infantis, o erro colocava em risco o amor dos seus pais? Se no passado o erro representava castigo, errar na vida adulta se torna um ato de rebeldia, que ninguém sabe muito bem quais serão as consequências. Ou seja, é melhor não arriscar e se manter na zona de conforto.

Com a chegada dos filhos, a falta de certezas se cobre com a fantasia de que nossas memórias pessoais e sociais serão suficientes na hora de lidar com os desafios e, diante de qualquer insegurança que apareça, buscamos manuais com respostas rápidas para perguntas difíceis. Em alguns casos, adotamos a intuição, que é sim uma parte importante no processo de cuidar. No entanto, ter apenas a intuição como guia pode não ser suficiente.

buscamos manuais com respostas rápidas para perguntas difíceis

Uma mãe que tenha lido tudo sobre puerpério pode ser pega de surpresa quando se vê diante do turbilhão de emoções que eram, até então, teorias. Um pai pedagogo que se aprofundou no pensamento sobre educação também pode se sentir sem saída diante de um filho e seus processos de alfabetização. O exercício da parentalidade nos coloca frente a frente com nossas humanidades, nossas falhas e limitações e o melhor jeito de atravessar temporadas difíceis com as crianças é se render ao aprendizado que acontece na prática: nas vivências e nas relações que serão construídas no caminho do conhecimento entre pais e filhos.

Recentemente, mães, pais, cuidadoras e cuidadores passaram a buscar ferramentas para lidar com os seus processos particulares na criação dos filhos – em meio a um mundo que apresenta complexidades maiores. O olhar que a psicologia trazia sobre as relações parentais ganhou outros contornos e, assim, foram surgindo novos profissionais para auxiliar as famílias. O principal papel desses profissionais da nova era das relações familiares é ajudar os adultos a fazerem as perguntas certas e encontrarem, sozinhos, as respostas. Questões como dar ou não chupeta, deixar ou não os filhos dormirem na cama dos pais, a hora certa de desfraldar ou quando desmamar não têm resposta única, e cada família precisa se debruçar sobre as verdades que cabem em suas dinâmicas, porque só assim será possível sustentá-las. A criação dos filhos não obedece a uma receita e o que vale para um não necessariamente vale para o outro. Uma vez que essas verdades são construídas sobre pilares de amor, cuidado, respeito e, mais ainda, sobre escolhas que serão possíveis de serem vividas, ainda que com algum esforço de todas as partes, elas serão indicadoras do melhor caminho a seguir.

A chegada de um filho é um momento de muitas transformações e rupturas difíceis de serem acomodadas internamente. Há uma despedida da vida de antes para que a gente possa nascer nesse papel de cuidador – e esse não é um processo simples nem visível. As sutilezas das mudanças podem levar um tempo até serem percebidas, mas, um dia, é inevitável que haja o confronto entre a

há uma despedida da vida de antes para que a gente possa nascer nesse papel de cuidador

ideia dos pais que imaginamos que seríamos com a materialidade dos pais que nos tornamos, ou ainda do filho que habita nossa fantasia com aquele que de fato está na nossa vida. O confronto nasce dessas expectativas. Sem perceber, tentamos nos relacionar com as crianças de hoje do mesmo jeito que nossos pais faziam conosco no passado. Estamos olhando para trás, e na nossa frente o futuro está implorando para ser visto e compreendido. O futuro é o seu filho e ele está te convidando para se tornar um aprendiz novamente.

> " Não basta que o adulto ame a criança. Ele deve primeiro amar e entender o Universo. Ele deve preparar-se, e sempre investir nesse preparo. "
>
> MARIA MONTESSORI

Colocar-se na postura de aprendiz é também um convite para se conhecer melhor, para inovar, para entender que você pode fazer as coisas de um jeito novo e diferente. Não precisamos ter medo de (re)aprender sobre o papel de pai e mãe. Deveríamos ter medo, na verdade, é de ficar estagnados no tempo, presos a verdades absolutas que não nos servem mais.

Talvez você esteja se perguntando: mas por que devemos repensar as relações parentais agora se chegamos até aqui com as referências do passado? Por que esse assunto é importante?

A resposta para esse tipo de questionamento tão comum entre pais e mães, muitas vezes resistentes a processos de mudança, é simples: não teremos alternativa.

É dentro do universo familiar que se estabelece o jeito que vemos o mundo. E o mundo mudou. É a partir de pai e mãe que a gente se reconhece e ganha bagagem emocional para enfrentar a vida. E a vida agora nos pede autenticidade com a nossa essência. Escolher ficar preso a uma visão de educação antiga é estabelecer um cabo de guerra no qual todos saem perdendo.

O futuro já não é mais um lugar previsível e a escolha de uma boa faculdade não garante o emprego dos sonhos. As habilidades emocionais de um adulto são hoje o seu principal diferencial e elas são formadas na infância. Estamos falando de empatia, flexibilidade, capacidade de cooperação, criatividade, inteligência emocional, entre outras. Diante deste mundo novo que se apresenta de forma tão assustadora e desconhecida, como faremos para preparar nossos filhos? O que podemos fazer por eles hoje que os ajudará a se sentirem seguros e capazes de enfrentar um mundo que pede, com urgência, que sejamos cada vez mais humanos?

A resposta não está no curso de robótica, muito menos na escola bilíngue. Está na construção de valores internos que se dão a partir de relações familiares equilibradas, em que a autonomia, autocontrole, autoestima, empatia, resiliência, amorosidade, capacidade de dialogar, de ouvir, de compreender e argumentar são construídas e, mais do que isso, são diariamente vividas.

Estamos falando de uma base familiar consolidada no entendimento de que a criança não está ali para ser uma extensão do adulto e suas expectativas. Ela é uma pessoa que merece respeito, acolhimento e, como pai ou como mãe, preciso estar disposto ou disposta a oferecer isso para ela. Precisamos perceber que a infância não é um ensaio para a vida adulta, é o tempo de nutrir a alma, de não ter pressa nem agenda lotada. A infância é o grande presente da nossa existência e precisa ser preservado por quem observa a criança se desenvolver.

Para percebermos essas mudanças, te convido a fazer um exercício. Quais sentimentos te atravessam quando você pensa na sua infância? Como era a relação dos seus pais e como você se sentia? O que da sua infância é dor e o que é amor?

Não restrinja suas respostas e pensamentos a emoções simples. Vá fundo nesse recorte de tempo e perceba no seu corpo as sensações de voltar àquela casa, de retornar para aquela dinâmica. Busque o que não era visto nem percebido, mas que você sentia com toda força. Entendo que muitos de nós temos a necessidade de proteger essa infância, porque o olhar analítico e profundo pode ser doloroso. Mas o objetivo aqui não é encontrar culpados ou apontar as possíveis falhas dos seus pais. É entender aquilo que lhe foi passado de forma dita e não dita e que hoje se reflete na maneira como você se comporta e o que busca na sua vida, de forma inconsciente.

A morada das emoções é a infância.

a morada das emoções é a infância

E são essas emoções que determinam a

maneira como agimos, como nos percebemos e no que acreditamos. Quando crescemos nos distanciamos desse tempo e deixamos de ver a conexão que ele tem com a nossa vida hoje. Nossos filhos nos devolvem essa oportunidade.

Agora, para organizar as ideias e os sentimentos, sugiro que você escreva uma carta à dona dessas memórias, ou seja, para a criança que você foi. O que você precisa dizer a ela?

Ao fazer isso, observe o quanto da sua infância você tem projetado no seu filho. Quantas dores, medos e inseguranças estão se transformando em heranças emocionais e quanto certos padrões estão sendo repetidos. Evitar esse repasse de emoções exige dedicação, porque os gatilhos da infância que acionam essas memórias são extremamente fáceis de serem apertados. Um choro mais alto do seu filho e lá está você com toda sua raiva, porque derramar lágrimas de frustração nunca foi autorizado na sua família. A escolha por uma vida mais consciente e emocionalmente inteira nos dá a opção de cuidarmos melhor das relações com nossos filhos e filhas. E isso acontece quando compreendemos a importância de se questionar, de agir de forma mais equilibrada e de encontrar caminhos para se comunicar que sejam respeitosos e sólidos.

Ao olhar para nossa história com honestidade, podemos nos deparar com memórias nada agradáveis, recheadas de dor e ausência. Mas aqui não há espaço para julgamentos moralizantes, porque mergulhar nisso pode acabar te impedindo de mudar a relação com seu filho. Uma necessidade inconsciente de proteger pai e mãe nos prende a uma trajetória que não é a nossa, e qualquer transformação nesse curso pode parecer um desmerecimento ao que eles conseguiram fazer. Honrar pai e mãe é reconhecer que eles fizeram o melhor que podiam com as ferramentas que tinham. E que, apesar de qualquer dor, eles nos deram o presente mais valioso que podiam: a nossa vida.

MODELO PARENTAL AUTORITÁRIO

Se o ponto de partida para toda a transformação que você busca é o questionamento, por que isso se mostra uma ação tão pesada, difícil de encarar? Por que nossos incômodos nunca são suficientes para nos fazer mudar a direção? Por que temos uma enorme dificuldade de nos conectar com o que sentimos?

A resposta está na nossa relação com a obediência e a autoridade. Quando falamos em estilos parentais ou formas de educar filhos, temos frescas na memória relações baseadas na manutenção da ordem, no rigor dos castigos, nas pequenas ou grandes violências e, muitas vezes, no distanciamento emocional e afetivo. A distância emocional servia para manter a capa da autoridade ou a demarcação clara de quem estava no comando. Se pudéssemos pensar em uma frase para resumir esse modelo de relação, seria: criança não tem querer. Alguém aí lembra de já ter ouvido algo parecido?

O que está no centro dessa dinâmica é o medo, mas disfarçado de respeito. É importante falarmos sobre isso porque tenho certeza que entre as coisas que você deseja para a relação com a sua criança interior o medo não aparece, certo? A questão é que o medo é uma ótima ferramenta para a manutenção do controle, e com crianças costuma funcionar, ainda que tenha um preço emocional alto, tanto para o pai ou a mãe quanto para o filho. O medo modela a nossa percepção sobre amor e constrói diretamente o valor que acreditamos ter.

Lembro de um momento muito decisivo da minha própria maternidade, quando era mãe de apenas uma criança, João. Ele tinha dois anos e havíamos mudado de cidade. Nesse tempo eu ainda não sabia o quanto as crianças eram capazes de perceber ou sentir as emoções e não olhei para com quanta coisa João estava precisando lidar. Os comportamentos desafiadores começaram a surgir principalmente na hora das refeições e eu ficava extenuada com os ataques dele à mesa. Era uma fase de transição e eu estava dedicada a ele. Então, a cada negativa que ele dava ao brócolis no vapor, eu tinha certeza de que era pessoal. Aquilo apertava o meu botão da rejeição e a cena não era nada bonita. Em um não tão belo dia, acabei explodindo com um ódio que saltava dos meus olhos. Gritava que ele tinha que comer e o segurava com força, exigindo que a minha vontade fosse atendida. Essa fúria, lançada contra uma criança de apenas dois anos, fez com que ela me olhasse com pavor. Quando me lembro de tudo isso, ainda sinto meu estômago embrulhar. Aquela era a minha pior versão, e eu estava mostrando-a sem o menor constrangimento para meu bebê. Quando percebi o que estava acontecendo, larguei o braço de João e chorei de soluçar. Abracei meu filho e naquele momento tomei a melhor decisão da minha vida: me comprometi comigo mesma a não permitir que esse medo se instalasse entre nós. A partir de então, todas as vezes que sentia a minha raiva tomar conta, me lembrava dessa cena para fazer esse sentimento se afastar e para me acalmar. Hoje, mais de dez anos depois dessa temporada, posso dizer que cuidar da minha raiva ainda é um desafio, mas tenho muito orgulho do caminho que percorri.

Tomei essa decisão no instinto, sem qualquer material de apoio sobre o assunto. O fiz simplesmente porque não queria que João sentisse medo de mim. Não queria que isso moldasse a forma como ele me via e nem como ele se percebia. Não queria que ele deixasse de acreditar nele e muito menos no amor que eu tinha para dar.

No modelo de relação em que pai e mãe são autoridades máximas, a criança é silenciada em suas emoções e opiniões. Não existe espaço para o diálogo porque falar já é uma ameaça e castigos e punições são ferramentas que garantem o domínio e o poder dos cuidadores. Existe uma busca constante pela obediência e uma expectativa em relação ao bom comportamento da criança. É interessante notar que esse desejo por filhos que obedeçam tem prazo de validade. Se pensarmos nos adultos que essas crianças serão, obediente com certeza não será um adjetivo que trará orgulho para um pai ou uma mãe. Imaginem só:

"Lucas se tornou um homem muito obediente e faz tudo que sua chefe manda."

"Luiza é uma mulher que obedece aos comandos e pedidos dos filhos."

Costumo ensinar aos meus filhos que eles não precisam obedecer a ninguém, nem mesmo a mim. Desejo e batalho para que a gente seja capaz de se respeitar e se ouvir, porque acredito nesse tipo de interação. E escolho confiar no que estamos construindo, ainda que seja novo e assustador em alguns momentos. A obediência carrega em si o silêncio e, definitivamente, não quero que meus filhos se calem diante dos seus valores.

O Experimento Milgram, conduzido em 1962, jogou luz sobre a obediência de uma perspectiva totalmente nova para a sociedade do pós-

-guerra. Interessado em entender a razão por trás das atrocidades cometidas pelos soldados do exército nazista, que não demonstravam qualquer remorso e sempre diziam que estavam apenas cumprindo ordens, Stanley Milgram mergulhou no estudo daquilo que até então era considerado uma grande virtude. Diante da morte de milhões de judeus, era muito fácil separar os homens entre bons e maus, mas o ser humano é um tanto mais complexo do que isso, e a necessidade de atender às expectativas ou de seguir a orientação de figuras de autoridade de forma cega é capaz de levar pessoas comuns a cometerem atos de crueldade, sem ao menos refletir sobre o que está sendo feito, abrindo mão de valores e crenças.

Foram recrutadas pessoas interessadas em participar do estudo, que avaliava a punição no processo de aprendizagem. O castigo em questão eram choques, que começavam em 15 e iam até 450 volts. Aqueles que aplicavam os choques não viam os que recebiam, mas podiam ouvir seus gritos e, mesmo assustados ou incomodados com tudo aquilo, atendiam às ordens para continuar e seguir em frente com o experimento, que era muito importante para a sociedade. Os choques eram falsos e do outro lado do espelho não havia ninguém sendo eletrocutado. O resultado: 65% dos participantes foram até o fim com a tortura, e a conclusão foi que poucas pessoas têm ferramentas emocionais para resistir à autoridade e à pressão por obedecer. É como se seguir orientações sem questionar os eximisse de qualquer culpa. Hoje, não acho que o resultado seria muito diferente – e isso é assustador.

É interessante pensar que a necessidade de ter pedidos, ordens ou comandos prontamente atendidos pode colaborar para formar esse tipo de adulto. Abrir espaço para o diálogo e construir a noção de respeito e responsabilidade faz muito mais sentido, mas exige o sacrifício de desapegarmos do nosso ego e da necessidade de controle.

Quando usamos a violência – física ou verbal – para conter uma criança, ela registra em seu corpo a mesma sensação de um animal que leva um choque. Você adestra, gera medo e desconfiança. Isso se mistura com outras células do corpo e assim vamos normalizando esse sentimento, sem aprender sobre ele.

Ser pai, mãe, educador ou cuidador de criança é um trabalho duríssimo, mas que exige de nós apenas duas coisas: consciência e coragem para quebrar paradigmas. Temos que deixar de afirmar "porque sim" e passar a nos perguntar "por que não?". Assim conseguimos construir a colaboração, que carrega a responsabilidade de fazer parte.

Existe uma confusão sempre que esse assunto aparece, porque colocamos a obediência no lugar do respeito, mas é importante termos claro que são duas coisas muito diferentes. O respeito é aprendido, a obediência é imposta. O respeito é uma via de mão dupla, a obediência é cega. Quando as crianças simplesmente obedecem, elas perdem o senso de si. Quando elas respeitam, elas se reconhecem e entendem os limites do mundo, ainda que discordem.

o respeito é aprendido, a obediência é imposta

Sobre o modelo autoritário, é importante falar também que ele não contempla, necessariamente, uma ausência de amor. Mas a verdade é que esse amor acontece nas brechas, nos pequenos espaços, nos momentos de descuido do pai ou da mãe, quando eles esquecem ou se permitem viver a relação com a criança, sem tantas cobranças e controle.

Quando nos debruçamos sobre nossa história, é muito comum identificarmos figuras de autoridade que carregavam uma rigidez ou impunham certa distância, mas ao mesmo tempo eram amorosas em alguns aspectos. Podemos ter lembranças também de apanhar na infância e ainda assim nos sentirmos amados, o que nos aponta uma das principais consequências desse tipo de criação: a relativização das pequenas violências cometidas conosco, o que faz com que a gente se sinta autorizado a cometê-las com todos os que amamos. É duro reconhecer que naquilo que chamamos de amor existiu muita dor.

Pais e mães autoritários usam o medo do futuro para justificar atitudes ríspidas e seus meios de correção dos maus comportamentos:

"Se eu não corrigir essa menina agora, o que ela vai ser no futuro?"

"Se eu não castigar, como é que esse menino vai entender as regras da vida?"

"Um tapa para ele aprender a me respeitar."

"Como ela vai se comportar se tiver tudo que deseja?"

Nesse modelo não existe espaço para o erro da criança. Para ela, errar significa sofrer física e emocionalmente, não se sentir amada nem aceita. É a criança boazinha que carrega o peso da responsabilidade de ser perfeita, porque entende que seu valor está em não decepcionar ou não dar trabalho. Ela entende também que o erro coloca em xeque o amor de seus pais e isso é um bem muito valioso para arriscar. O grande problema é que, mesmo de forma inconsciente, levamos isso para a vida adulta e, em muitos casos, carregamos essas sensações para diversas áreas da nossa vida: não posso falhar, o erro é inadmissível, se errar as pessoas não vão me admirar.

A linguagem verbal e não verbal do modelo autoritário é da dureza e da rigidez. Fazem parte do repertório desses pais frases como:

"Cala a boca."

"Engole o choro."

"Quem manda aqui sou eu."

"Quando você tiver sua casa, vai ver."

"Se você não arrumar tudo, vou jogar esses brinquedos fora."

"Não aguento vocês!"

"Vocês me fazem perder a cabeça."

Lendo assim, pode até parecer inocente, mas qual é a perspectiva da criança que ouve tudo isso? E não estou falando de acontecimentos pontuais, de um momento de impaciência, mas dos casos em que essas frases são ditas regularmente, todo dia. Qual o legado emocional que elas deixam?

Muitas vezes, a gente só entende as marcas que esse tipo de relação deixa quando nos tornamos pai ou mãe. Não escolhemos ser autoritários ou rígidos demais com nossos filhos – simplesmente somos, porque crescemos com essa referência. Sem perceber, repetimos as mesmas falas dos nossos pais e mães, carregadas de raiva e violência. Na sequência, nos sentimos culpados e sem recursos para fazer diferente. A boa notícia é que essas ferramentas estão dentro de cada um de nós. E o processo para entrar em contato com elas chama-se autoeducação.

Todos nós queremos criar e educar crianças incríveis, que sejam generosas, empáticas, seguras e, se possível, felizes. Queremos filhos respeitosos e que saibam se relacionar de um jeito assertivo com a vida. Queremos crianças com jogo de cintura e que não desistem fácil.

Acontece que tudo isso são projeções. Nossos filhos já nascem para ser o que serão e a interação familiar potencializa ou mina por completo o desenrolar da essência dessa criança. Não podemos deixar que nossos medos e ausências se coloquem na frente dos nossos pequenos, e o modelo que silencia o sentir dessa criança é justamente isso. Mas e na prática, o que fazer? Ou melhor, como fazer para deixar a criança ser?

Precisamos ter coragem para encarar que nossa bagagem emocional pode atrapalhar a construção de uma relação parental mais leve, equilibrada e menos controladora. Se estamos carregados de dores e marcas dessa infância vivida com a sombra da autoridade, vamos precisar repensar nossa rota, aceitando que ninguém tem um mapa que aponta a direção correta. Essa direção é para dentro. Diante dos filhos, temos a chance de cuidar da nossa história.

MODELO PARENTAL PERMISSIVO

O que geralmente acontece quando conseguimos refletir sobre a criação que recebemos e sabemos apontar os malefícios de uma relação autoritária ou violenta é acabarmos na outra ponta dessa corda, que é a permissividade. Saímos do oito para o oitenta e nem notamos. Percebo em casos assim um erro de leitura comum de quem tem pressa para refazer a própria história. Na agonia por se redimir, é fácil confundir os papéis e se misturar com os filhos. Em vez de cultivar respeito e dignidade na relação com as crianças, alguns pais transformam-nas em iguais e isso tira dos cuidadores a autoridade que precisa existir, mas sem ser, necessariamente, autoritária.

O modelo permissivo coloca a criança no centro da relação familiar e os pais se tornam planetas que orbitam ao redor desse astro rei ou rainha. Mais do que mimar a criança, estamos falando sobre o não posicionamento diante das atitudes do filho ou da filha. Se no modelo autoritário o medo se disfarça de respeito, aqui são a culpa e a vergonha que muitas vezes estão disfarçadas de cuidado excessivo. Estamos falando de pais e mães que se sentem em dívida com os filhos e fazem de tudo para quitar esse boleto.

Culpa e vergonha são sentimentos muito semelhantes, que facilmente se confundem. Brené Brown, professora e pesquisadora na Universidade de Houston que estuda há duas décadas a coragem, a empatia, a vulnerabilidade, a vergonha e a culpa, fala em seu livro *A coragem de ser imperfeito* que a diferença entre culpa e vergonha está no fato de que a culpa se refere a algo que fizemos e que julgamos errado ou que vai contra nossas crenças e valores, enquanto a vergonha se refere a algo que fizemos porém julgamos que nós somos o erro. A culpa diz: fui mal na prova, preciso estudar mais. A vergonha grita: sou muito burra, nunca vou melhorar essa nota. Quando a culpa aparece, ela traz um sinal, um lembrete de que estamos fazendo algo que não gostaríamos de estar fazendo, é um alerta para que a gente mude a rota. Mas a culpa não define quem somos. Aliás, nossos comportamentos não definem isso; nossos valores, sim.

A culpa e a vergonha que regem as relações permissivas são um convite para que a gente reflita e observe. O que penso sobre essa relação entre meu filho e eu? Quais são meus medos? Será que estou guiando minhas ações pelos meus receios?

Pais e mães permissivos evitam os embates e têm certa dificuldade de estabelecer limites. Estão sempre cedendo e fazendo *por* esse filho em vez de fazer *com* esse filho. A permissividade é mais suave do que o autoritarismo, mas ela demonstra uma enorme preguiça ou desconhecimento por parte do adulto sobre como exercer a sua responsabilidade. A permissividade pode se disfarçar também de uma necessidade de proteção. E aqui criamos uma armadilha da qual é muito difícil sair, porque proteger um filho é algo nobre, correto? Até certo ponto, sim. Mas a vontade de proteger pode colocar uma venda nos olhos de pais e mães que não se percebem roubando a autonomia dos filhos.

Quando fazemos as coisas pelas nossas crianças, estamos passando o recado de que elas não são capazes. Nas entrelinhas, dizemos que nós, os adultos, fazemos melhor, mais rápido, perfeito. Estamos ensinando que os processos não importam e que o resultado final é o que garante nosso valor.

Interromper esse comportamento é abrir espaço para a criança errar e encontrar um caminho autêntico, só dela, de resolver situações e conflitos. E essa é uma ótima maneira de olharmos quem é essa criança e também de aceitá-la, ainda que ela não faça as coisas como um adulto faria. Nós, pais e mães, precisamos sair da frente das nossas crianças e nos colocarmos ao seu lado, como quem acompanha e margeia.

De um jeito quase caricato, associamos a permissividade com pais e mães de tom de voz suave, aqueles aparentemente mais bonzinhos. Mas não é exatamente disso que se trata aqui. A permissividade acontece quando o pai ou mãe não dá o contorno de seu papel em relação aos filhos, quando não consegue reconhecer os seus limites de adulto e deixa a criança sem saber exatamente qual é a função do cuidador na relação.

Quem é você na fila do pão? O carpinteiro ou o jardineiro?

Explico melhor. O carpinteiro faz cadeiras, mesas, tudo com um padrão. Serra a madeira, lixa, pinta e assim, com esforço e dedicação, faz uma série de cadeiras iguais e perfeitas. Ele tem o pensamento fabril e esculpido direto da Revolução Industrial. Não tem erro, não tem defeito. Se algo, por acidente ou por acaso, não sai como o planejado, é um problema. A madeira precisa ser lixada aqui, pintada ali e no fim remediada para que se enquadre no padrão. E esse processo pensado para cadeiras faz todo o sentido, mas a questão é que aplicamos essa mesma ideia também para humanos. Para os nossos filhos.

No extremo oposto desse pensamento fabril do carpinteiro, está o ofício do jardineiro. Ele sabe que simplesmente não se constrói uma flor; ele planta uma semente, rega, observa, aduba e espera. À medida que a flor cresce, ele poda, apara e orienta o crescimento para que ela atinja o seu máximo potencial. O jardineiro é o responsável pelo ambiente e cuida para que a semente se transforme na melhor versão da flor. O jardineiro entende que ele é coadjuvante daquela força natural que é a existência de um outro ser. Essa dualidade é o pensamento por trás do livro *The gardener and the carpenter* (O jardineiro e o carpinteiro), de Alison Gopnik. Tenho pensado muito no papel que desejo desempenhar para meus filhos. Entender isso é o primeiro passo para cuidar e sair desse ciclo, reaprendendo diariamente com nossas crianças.

O pai ou mãe até tenta se posicionar, negociar com a criança, mas não oferece segurança, porque não existe uma relação de confiança. Sinto que não posso frustrar o meu filho, como se essa relação fosse frágil, como se ele fosse frágil. É preciso confiar na construção da relação familiar e principalmente na importância do seu papel, e só então será possível transformar a dinâmica com as crianças.

A permissividade pode ser também emocional. Você conhece algum adulto que se sente emocionalmente responsável pelo pai ou pela mãe? Isso acontece quando há uma inversão de papéis na infância e o adulto deixa de ocupar esse espaço na vida da criança. Essa sensação de ser responsável por um adulto pesa uma tonelada e não é justo para uma criança carregar esse peso. Me lembro dessa sensação em muitos momentos na relação com minha mãe, como se fosse eu a responsável por tomar conta dela. Ao mesmo tempo, existia uma segurança muito grande de que ela saberia resolver as questões mais sérias. Ela era uma mãe solo e eu, uma criança muito responsável. Ou seja, uma mistura perfeita. Acho que essa foi sim uma dinâmica que se estabeleceu em alguns momentos, mas de modo geral não foi a nossa história. Tenho vívida a sua frase: "Eu sou sua mãe e não sua amiga". O que demonstra claramente que o seu papel estava protegido pela certeza do que precisava ser feito, mesmo que para ela isso não estivesse tão claro assim, já que ela tinha apenas 18 anos quando eu nasci. Sei que essa sensação é composta

essa sensação de ser responsável por um adulto pesa uma tonelada e não é justo para uma criança carregar esse peso

por memórias infantis, não necessariamente reais. E o que me traz essa certeza hoje é não me sentir presa a essa mãe e sim conectada a ela.

Minha mãe é uma mulher para quem olho com profunda admiração e amor, porque entendi o tanto dela que tenho em mim e como essa é uma parte boa da mulher que me tornei. Eu sou fruto do amor e da confiança. Venho de uma relação em que eu era vista, e essa é a melhor herança que carrego.

Sempre que falo sobre a permissividade, me lembro de uma mãe que, durante um workshop que facilitei, dividiu com a turma um diálogo que teve com a própria mãe. Ela era adolescente, estava na casa de uma amiga e ligou em um sábado à noite para avisar que ia descer com seus amigos para a praia. Do outro lado da linha, a mãe não fez nenhuma pergunta. Não queria saber quem ia, onde ficariam, nem até quando. E nesse dia, cansada de se sentir não vista e quase abandonada, a filha implorou: "Mãe, por favor, diz que eu não posso ir! Diz que está preocupada. Pergunta quem vai. Tenta se interessar pela minha vida".

Quando não exercemos o papel de cuidador, as crianças encontram caminhos solitários para se organizar e carregam a sensação de que sempre falta um pedaço de quem elas são. A falta de limites ou de margem deixa uma herança emocional pesada. Sem a percepção sobre o que pode e o que não pode, as crianças tendem a alternar entre dois comportamentos. O primeiro é a necessidade de criar suas próprias regras para não saírem da linha. Normalmente, essas são aquelas crianças que podem tudo e não fazem nada. São consideradas filhos perfeitos. Mas, na verdade, estão em busca de segurança e entendem que não podem encontrá-la nos pais. É um comportamento solitário.

O segundo comportamento baseia-se na urgência de chamar a atenção de qualquer adulto que apareça. É aquela criança que chega na sua casa no final de semana para um churrasco, por exemplo, e não consegue ouvir nenhum tipo de coordenada. Ela incomoda, provoca, e isso é, na verdade, um pedido de atenção para que alguém – quem quer que seja – diga de forma clara que aquilo não é permitido. Tudo que ela deseja ouvir é um não.

Assim como apontei ao abordar o modelo autoritário de criação, é importante reiterar que a permissividade não implica em falta de amor. Na permissividade, aliás, existe espaço para o afeto de forma mais clara. Não há um medo ou uma necessidade de se esconder atrás de uma capa de dureza. Há uma entrega para os filhos e isso é bem bonito.

MODELOS PARENTAIS: UM OU OUTRO?

É comum pais e mães se sentirem pendulando entre o modelo autoritário e o permissivo a depender do humor, do cansaço ou do comportamento das crianças. É comum também em uma mesma casa adultos assumirem posturas diferentes, um atuando de forma mais autoritária enquanto o outro se coloca com permissividade.

Não acredito que ninguém é apenas uma coisa ou atue exclusivamente em um desses estilos durante a vida toda, mas pode ser cansativo alternar muito entre as formas de educar e a nossa busca deve ser por permanecer mais tempo no caminho do meio.

Não pode bater.

Não pode colocar de castigo.

Não pode gritar.

E o que pode, então?

Pode assumir seu papel de pai e mãe.

Pode ser responsável sem ser violento.

Pode ser autoridade sem disputar o poder.

Pode admitir que não tem todas as respostas.

Pode rever as certezas.

Pode falar sobre os medos e as inseguranças.

Pode estabelecer limites com firmeza.

Pode acolher o choro e contornar a dor.

Pode amar sem ceder aos caprichos.

Pode estabelecer o diálogo.

Pode ouvir, mesmo aquilo que não agrada.

Pode falar, mesmo aquilo que é difícil de ser dito.

Pode dizer "não", até quando a razão é a sua convicção.

Pode pedir ajuda, mas é preciso ter consciência de que ser pai e mãe dá trabalho e isso não muda nunca.

Pode estudar para aprender novos caminhos.

As diferenças na forma de conduzir a criação dos filhos na dinâmica familiar sempre vão existir, mesmo quando o casal está alinhado na sua maneira de olhar a educação das crianças, porque cada um imprime uma forma de colocar aquilo em prática. Nenhum pai ou mãe age da mesma forma, mesmo que pensem muito parecido. As diferenças nos valores dos pais, sim, podem ser uma questão que dificulte os processos de educação dos filhos e da sua autoeducação.

Se no passado a criação não era uma pauta, hoje não se pode dizer o mesmo. Nos últimos anos o mundo viu uma popularização de pensamentos, viu correntes e estilos parentais ganharem força e, consequentemente, viu uma corrida para fazer parte de algum desses tantos grupos. Maria Montessori e seus ensinamentos sobre autonomia da criança, Jane Nelsen e a Disciplina Positiva, Magda Dias e a Parentalidade Positiva, Shefali Tsabary e a Parentalidade Consciente, John Bowlby e a Teoria do Apego, entre outros. Todos eles defendendo seus espaços duramente conquistados com unhas e dentes e chamando os pais e as mães de todo o globo para conhecer as maravilhas e os encantos de cada uma dessas importantes filosofias e pensamentos sobre a criação de filhos. E sem que ninguém confirme, embora todos percebam, há uma pressão para escolher qual o seu cordão, como se para fazer parte de uma fosse preciso mergulhar de cabeça e viver exclusivamente sob seus preceitos e regras, que conduziriam pais e mães a um outro nível, acima dos mortais, lá bem perto da perfeição.

Reverencio a enorme contribuição de cada um desses pensamentos e ideias sobre crianças, mas trago um ponto de vista particular que tenho nutrido ao perceber as diferenças profundas entre cada um dos meus filhos e filhas: não existe um jeito certo de educar. Não é possível falar sobre um pensamento que ancore e suporte todas as necessidades de todas as famílias ou que servirá para todas as pessoas e todas as crianças.

É preciso encarar a complexidade de cada indivíduo na hora de falar sobre filhos, para não tentarmos colocar todo mundo dentro de caixas, como se fosse possível viver a relação com as crianças de forma dogmática. Não é. E sempre que tentamos escolher um grupo para participar, que vai orientar nossas escolhas como pai ou mãe, deixamos de nos conectar com algo que pulsa naturalmente dentro de nós para atender a uma demanda social – da minha vizinha, da minha melhor amiga, da influenciadora do Instagram. E isso não é sustentável.

Nas situações e desafios que seu filho apresenta, você vai conseguir encontrar um caminho que funcione para você de acordo com uma série de variáveis que dizem respeito à sua vida, às suas crenças, à sua religião, à sua dinâmica familiar. Não é possível tratar essa relação como uma receita de bolo, um passo a passo, simplesmente porque não é nada disso. Ferramentas são ótimas e dicas são muito bem-vindas, mas não podem ser as bases das relações familiares, porque o que sustenta essa estrutura tão importante é algo que cada um carrega individualmente: os valores. E na formação de uma família, tenha ela o formato que for, há sempre uma mistura de valores e crenças que vão sustentar as decisões e os caminhos encontrados para viver.

Nessa linda jornada que é ter filhos, o grande desafio é se conectar ao seu jeito de educar essas crianças e ele precisa, antes de qualquer coisa, ser verdadeiro. E nesse processo você vai encontrar grupos, podcasts, livros, cursos que partilham importantes ensinamentos, mas, ao final, é preciso avaliar se tudo o que foi assimilado cabe e funciona para a dinâmica da sua família.

O MODELO PARENTAL AQUI DE CASA

Depois de alguns anos trabalhando com parentalidade, entendi que a busca por um modelo ideal é, na verdade, uma enorme prisão e que isso não faz bem para nenhuma família. Acredito muito na importância de ampliarmos nossos horizontes e revermos nossas certezas no árduo trabalho que é criar e educar crianças, porque o mundo mudou e estamos sendo convidados a olhar para nossos filhos de um outro lugar. Mas, ao mesmo tempo, sei que isso é algo que tem um ritmo e requer esforço físico e emocional. Entendi também que essas transformações dizem mais sobre como vemos o mundo e nós mesmos do que as crianças. Quando nos doamos para esses pequenos seres, criamos uma oportunidade gigante de mudar muitas perspectivas. Podemos mudar o mundo, mas isso vai acontecer aos poucos.

Diante de uma mãe que perde o controle e grita ou que age de forma com a qual não necessariamente concorde, não posso oferecer a ela o meu julgamento. A fala sobre relações respeitosas precisa incluir pessoas que pensam diferente de mim, para que sejamos capazes de trocar e crescer juntas. É preciso praticar a tolerância com a mãe que não fez as mesmas escolhas que eu, porque, no fundo, estamos todas nós tentando fazer o melhor e a autoeducação é um processo que acontece para cada um em um determinado tempo.

Nossa vida é diversa e, por isso, não cabe um pensamento exclusivo sobre as relações parentais; não cabe a defesa de um único modelo que sirva a todo mundo, porque ele não existe.

E o que existe então?

A escolha.

É preciso estudar para ser mãe e pai no mundo de hoje? Não tenho dúvida. Nos dedicamos profundamente para encarar mudanças de país, promoções ou transferências no nosso trabalho, mas, com nossos filhos, nos contentamos com o conhecimento herdado, transmitido por osmose, achando que vai dar tudo certo. Bem, essa de fato não é a melhor opção. Nossos filhos precisam que a gente se reinvente para estabelecer relações mais equilibradas.

As mudanças do mundo são profundas e envolvem a maneira como existimos nesse novo tempo. Gênero, mídia, sustentabilidade, acessibilidade, diferenças culturais, internet, carreira, trabalho, sucesso. Quais são as novas métricas que orientam a vida contemporânea e como falar sobre isso com nossos filhos, se não reconhecermos esse cenário?

E mesmo que você não queira olhar para nada disso e não consiga perceber a importância desses assuntos, seu filho vai circular nesse mundo que é sim diverso, que é sim misturado, que é sim tecnológico. E se nós não cuidamos do espaço que existe entre pais e filhos, ele se torna um abismo gigante, e muito mais rápido do que a gente imagina.

Não precisamos escolher uma teoria sobre relações parentais. Você pode, por exemplo, estudar várias delas, eleger aquilo que mais faz sentido para você e, assim, ir costurando a colcha de retalhos que vai colaborar no seu processo individual de criação dos seus filhos. Essa postura vai te mostrar que cada filho pede a sua própria colcha, porque eles não são a mesma pessoa e não vão responder da mesma forma a cada uma das diferentes estratégias que existem sobre parentalidade.

Por tudo isso, eu peço: leia cada página deste livro, porque ele foi feito com todo meu amor e intenção, mas, ao final, busque reconhecer o seu próprio caminho. Busque saber o que te serve e o que não te serve. Busque fincar o pé nas suas verdades. Junte o que foi dito aqui com toda a sua bagagem de vida e crie algo tão único quanto você. Combinado?

CONFISSÕES DE UMA NÃO ADOLESCENTE: TENHO MEDO DE MUDAR

Não sentimos nem percebemos, mas o mundo em que vivemos hoje já é fruto de transformações sociais profundas que nos antecederam. Então, por que não nos rendermos aos processos de mudança na relação com nossos filhos? O que nos impede de renovar o olhar? O quanto essa resistência reverbera em outras áreas da nossa vida?

Uma das coisas mais difíceis de compreender no processo de criar filhos na atualidade é o fato de que a construção dos valores não está mais apenas sob o controle da família. O que antes era passado quase como uma imposição aos filhos hoje se enfraquece diante de laços com amigos, reais ou virtuais, num movimento que amplifica a formação do indivíduo. Eita, que medo.

Mas é justamente por isso que pensar essa relação é tão importante. Uma vez que conseguimos perceber nossas crianças como parte desse mundo desconhecido para nós, criamos novas possibilidades de estar perto delas, de vê-las crescer sem querer controlar absolutamente tudo, de respeitá-las por quem elas são e não pelo que gostaríamos que fossem. Quando repensamos o modelo parental, temos a oportunidade de construir com nossos filhos relações mais significativas em sua vida, para que, quando eles se percebam do mundo, saibam e reconheçam de onde vieram.

Além dos amigos, as músicas, os games, os aplicativos, os filmes, tudo isso vai influenciar a vida das nossas crianças numa escala um pouco mais abrangente do que qualquer programa de TV teve em nossa vida. A quantidade de informação que seu filho recebe e absorve é muito maior do que aquela a que você teve acesso na sua infância e isso muda muito a nossa percepção do mundo ao nosso redor.

É comum ouvir pais e mães falarem com orgulho que desejam dar o que não tiveram para seus filhos. Essa tentativa de cuidar da nossa criança ferida, através da substituição daquilo que é de ordem emocional por aquilo que é material, cria um padrão de escassez que pode acompanhar um indivíduo por toda a vida. Talvez seu filho não precise daquilo que você não teve, mas deseje o mesmo que você ainda busca: se sentir aceito, amado e importante.

Não importa o quanto avancemos futuro adentro.

Não importa se a tecnologia vai nos conectar aos marcianos.

Não importa se em algum momento vamos nos tornar robôs.

Estamos lutando com nossos demônios para nos sentirmos amados, aceitos e importantes. Estamos fragilizados pela idealização de uma vida, um amor, um corpo, um trabalho. Estamos olhando o mundo pela tela do celular e acumulando frustrações pelas coisas que não temos, as viagens que não fazemos, a ioga que não praticamos. Estamos pela metade. E diante de crianças pequenas ou filhos um pouco já crescidos, estamos sem rumo.

Tenho me perguntado se sempre foi difícil assim ou se antes ninguém falava sobre esse assunto. Criar filhos? Vai lá e faz. Mas como faz? Por qual caminho?

Se hoje eu pudesse dar um conselho para pais e mães, diria: busque se conhecer profundamente. Entender quem você é e de onde você veio é fundamental para o início da jornada em direção ao lugar a que você quer chegar. Parece simples, mas tem um tal de praticar o perdão aí no meio que dá nó na garganta de muita gente. Não precisamos criticar nem culpabilizar ninguém pelo que passou. Já foi, já era. Daqui para a frente, olhe para você e para os seus. E aí? Vai repetir tudo mais uma vez? Ou vai fazer diferente, tentar, pelo menos? Não existem pais perfeitos. Não existem também crianças que não fazem manha. E a vida de verdade está batendo na porta de todos nós, com mais ou menos privilégios.

Sentir-se como um pêndulo, que ora é rígido, duro, severo, ora é suave, paciente e permissivo, não é ruim só para as crianças, mas é emocionalmente desgastante para os adultos também. E é aí que eu entro, oferecendo ajuda, um colo e uma luz. Experimenta por aqui, por ali e por aquele outro lugar. Qual caminho te parece melhor? Qual te deixa mais seguro, à vontade e confiante?

Enquanto olhamos nos olhos uns dos outros, vamos desejar nos sentir amados, aceitos e importantes. E por isso que pai e mãe vão continuar sendo figuras fundamentais na história da humanidade por muito tempo ainda.

QUAL É O SEU PAPEL?

O conceito de reprodução humana criou no inconsciente coletivo a percepção de que filho é uma continuação da nossa existência. Num passado muito recente, as crianças deveriam levar adiante a profissão de seus pais e avós, numa postura de honra às conquistas daquela família. Era comum atribuir à criança a responsabilidade de perpetuar o nome de seus antepassados – e hoje, mesmo que essa ideia não faça mais tanto sentido, ainda estamos presos a ela, mas agora de forma um tanto mais refinada.

Desde o momento do nascimento, buscamos as afinidades que nos conectam a essas crianças. O olho do pai, o nariz da mãe, a braveza da tia e por aí vamos, sempre tentando encaixar aquele ser que acabou de chegar ao mundo em espaços que já são ocupados por outras pessoas. Seguimos tentando nos ver através da existência da criança, reafirmando semelhanças no sentir e no agir. Desejamos que ela seja mais do que nós fomos, mas não permitimos que esse caminho seja composto de erros ou de escolhas que não estejam alinhadas com as nossas crenças. Essa busca por moldar os filhos é uma forma tentar controlar quem o outro é, mas em algum momento essa corda arrebenta, trazendo rupturas dolorosas para todos na família.

É preciso abandonar o papel do pai-herói, aquele que salva, resgata dos perigos, tem todas as respostas e nunca erra.

É preciso desistir do papel da mãe sacrificada, aquela que se abandona, se perde e se larga pelos filhos. Aquela que, para ver a criança feliz, dá o que não tem ou, ainda, aceita viver infeliz.

Essas idealizações sobre como seremos amados por essas crianças não cabem mais. Nossos filhos são capazes de nos amar pelo que nós somos – e isso é, estranhamente, desconcertante. Eles nos veem exatamente como somos, nem mais, nem menos. E isso é bem difícil de encarar. Com eles, não sustentamos nossas máscaras, porque eles próprios nos desnudam.

São os nossos filhos que nos mostram nossa pior e nossa melhor versão. Só eles são capazes de apertar botões que escondemos até de nós mesmo. Eles são aquela visita sem noção que levanta o tapete sob o qual escondemos nossa poeira emocional. E isso só acontece porque o amor entre pais, mães e filhos é o mais íntimo, o mais cru que existe. No curso da história, a gente aprendeu o contrário, que esse amor paternal ou maternal é sublime, irretocável e cego. Entretanto, ao aceitar essa teoria, nos esquecemos de que o amor cego não enxerga, e sem se ver a gente não segue.

Precisamos ampliar o entendimento do nosso papel como cuidadores. Nos tornamos pais embriagados pela ideia de que vamos educar uma criança. E essa perspectiva vem da ideia de que os filhos são nossos. E aquilo que é nosso precisa ser controlado, certo? Mas tente enxergar essa situação por outro prisma. Imagine que são os filhos, na realidade, que têm a missão de vir a este mundo para nos educar. Para

imagine que são os filhos, na realidade, que têm a missão de vir a este mundo para nos educar

que a gente se liberte das amarras do ego, do controle e se entregue à incrível jornada de observar um ser nascer, crescer e se desenvolver sob a nossa orientação.

E antes que você saia em busca de respostas prontas nestas páginas, vamos refletir juntos? Qual você acredita ser o seu papel como pai, mãe, padrasto, madrasta, cuidador de uma criança? Percebe que, ampliando esse espaço dos pais para receber padrastos, madrastas e outros cuidadores, a gente tem a chance de reavaliar como interagimos com as crianças ao nosso redor? Percebe que todos podem ter exatamente o mesmo papel?

Todos os adultos que se dispõem a cuidar ou educar uma criança deveriam desejar ser seu guia. E o guia é a pessoa que, por já ter percorrido uma estrada, acaba por adquirir conhecimento. É alguém que inspira respeito e que olha para seu discípulo também com respeito, entendendo suas limitações, seus medos e suas inseguranças.

O guia segura a lanterna e mostra a direção, mas não percorre o caminho sozinho. Ele abre espaço para a falha, para o erro, porque sabe que não há crescimento ou transformação sem tropeços. O guia é alguém confiável que espera daquele que orienta não a devoção, mas sim o reconhecimento e a parceria. Ele estabelece uma relação potente, onde o que sabe menos não deve nada e ele percebe que vai aprender muito também no processo de ensinar. Um guia margeia a estrada e é a referência quando a vista embaça. Ele reconhece que não é capaz de fazer parar de chover, mas atravessa a tempestade ao lado de seu discípulo. O guia é alguém demasiadamente humano com um único superpoder: o de ver quem as pessoas são verdadeiramente.

A gente está o tempo todo falando sobre empatia, sobre olhar as necessidades do próximo e sobre como o mundo anda de cabeça para baixo. Os que são pais e mães olham para seus filhos e depositam neles a esperança de um futuro melhor: desejam que os filhos sejam bons, respeitosos, justos. Querem que sejam éticos, amorosos, curiosos, e também independentes e felizes. Se sobrar tempo, que tenham autoestima, sejam seguros e – por que não? – fiéis aos seus preceitos. Praticamente uma versão moderna de Deus.

Mas, olha, Winnicott falou: não existe criança sem adulto. E se você não começar a trabalhar agora alguma dessas virtudes, não vai ter santo certo na sua causa. Educar é, sobretudo, um ato de coragem. E leva tempo.

Diante dos desafios mais complicados que as crianças apresentam, devemos responder com aquilo que lhes falta. Seu filho está dando um escândalo por ter transbordado emocionalmente? Ajude-o a se reorganizar com serenidade. Está sendo grosseiro e respondendo? Devolva com palavras amáveis, ditas de maneira firme. Não quer comer? Coloque uma mesa cheia de cores e sabores. Espere. Acredite. Respeite. É mais simples do que a gente pensa, mas pode levar mais tempo do que a gente quer.

Mas qual é a grande dificuldade em ser guia, já que essa postura parece tão nobre?

Para escolher ser guia, temos que abrir mão do controle. Ou, pelos menos, ter maior consciência sobre como controlamos nossos filhos, o quanto tiramos deles a autenticidade, a possibilidade de se expressarem e o quanto tolhemos sua autonomia e autoconfiança. O quanto nos fazemos importantes em vidas que não são nossas, num processo simbiótico e nada saudável para as relações parentais.

Limite incomoda.

Como assim, não posso avançar?

Quem você pensa que é para estabelecer até onde posso ir?

Com os filhos esse incômodo não tem máscara e eles choram, gritam, se jogam no chão. Mas com adultos o que se estabelece é o melindre, a mágoa. O limite do outro dói de um jeito estranho, quase como rejeição, porque a gente quer ser amado por todo mundo, queremos ser vistos até por quem não quer nos ver. E assim, fantasiamos narrativas do que a gente deseja e não do que o outro tem para dar. Ao perceber o limite, ficamos frustrados, com raiva, inseguros, exatamente igual a uma criança. E a gente precisa lembrar disso.

A coisa de que nossos filhos mais precisam é o compromisso de cuidar das nossas emoções. Sem esse processo de autoconsciência, vamos repassando dores e silenciamentos, sem nem perceber. Uma vez despertos sobre o sentir, somos capazes de acolher e atravessar situações desafiadoras com as crianças, com nossos pares, em nosso trabalho. E não é que a vida fica mais fácil e os problemas desaparecem. O que acontece é que nos sentimos mais capazes de lidar com a realidade, ainda que ela pareça distópica.

Cuidadores controladores deixam de legitimar as etapas de desenvolvimento da criança querendo sempre fazer por elas, no lugar delas, maquiando tudo isso de amor, de ajuda.

Subir escadas, vestir-se, fazer lição, arrumar brinquedos, tomar banho. Qual é a hora certa de aprender ou de começar a fazer todas essas coisas? Na realidade, não existe uma resposta única e correta, o que existe é a nossa confiança na criança e a nossa capacidade de entender que no processo ela vai errar, vai falhar, mas tudo bem.

Parece simples dito assim, mas essa necessidade de controle é ardilosa e se disfarça muito bem nas relações. Entender e se ver nesse lugar, como essa mãe ou esse pai, é doloroso, porque no fundo o que encontramos é um adulto extremamente inseguro diante da possibilidade do filho ou da filha crescer e não precisar mais dele ou do seu amor. Esquecemos que, uma vez que nutrimos essa relação de um lugar seguro, construímos um vínculo que se estabelece sem tantas culpas e amarras. Assim, ele tem mais chances de perdurar.

Quando percebemos a beleza em ver os filhos crescerem e se tornarem pessoas capazes de cuidar da própria vida com integridade, somos tomados por um orgulho enorme. Para isso, precisamos entender essa construção, para que autorizemos nossos filhos, desde pequenos, a errar e, assim, ser capazes de se refazer e não desistir de tentar.

Como você acolhe o erro do seu filho?

Como você acolhe o seu próprio erro?

Um olhar livre para a criança começa com um olhar livre para o adulto, e é por isso que ter filhos ou cuidar de uma criança é uma atividade de riqueza psíquica enorme. Não temos a dimensão do que essa relação vai nos revelar sobre nós mesmos, e isso é fascinante. Nossos filhos são espelhos da nossa alma e essa jornada ao lado deles nos pede coragem para encarar nosso reflexo.

Percebemos ao longo do processo educacional de uma criança o quanto estamos presos a dores e sombras da nossa própria história. Queremos fazer diferente, queremos trilhar novos caminhos e, diante de um choro mais forte, lá estamos nós repetindo frases e ações que juramos que não iríamos fazer. E isso acontece porque esse é o nosso recurso principal. Para mudar verdadeiramente nossa postura é preciso mergulhar em questões que vamos deixando de lado à medida que crescemos. E então chegam nossos filhos, surpreendentemente, com esse convite em mãos.

Você aceita?

3

Sabe
dançar?

Criar filhos é uma dança.

É sobre dar espaço e puxar para junto.

É sobre fazer girar e observar os movimentos. É sobre seguir e ser seguido.

É sobre olhar no olho e deixar claro que você está ali para amparar uma possível queda. Sim, podemos cair enquanto dançamos, mas sabemos que tem uma mão para nos levantar e continuar o baile.

Criar filhos é sobre sentir segurança, firmeza em quem conduz e entender que uma hora temos que nos deixar ser conduzidos também.

É sobre aprender passos novos e não ter medo de propor. Ah, criar filhos é sobre aprender o tempo todo.

É sobre respeitar as limitações. É ter começo, meio e fim. Ciclos, ritmos, gingados.

Criar filhos é sobre se divertir, porque, afinal de contas, se divertir é fundamental. Vai ter momentos em que a dança se parece com um balé, outros em que parece um forró, ou um rock'n'roll. É também sobre sofrer, porque nem sempre a música é a nossa preferida ou os movimentos são os que a gente tinha ensaiado. Mas é aí que a vida se mostra, que nós nos vemos diante da nossa falta de controle, mas também das infinitas possibilidades que se abrem quando simplesmente nos deixamos levar pelo ritmo.

Que a gente dance mais.

VAMOS OLHAR PARA TRÁS? OU: RESPEITO MÚTUO É BOM E A HUMANIDADE GOSTA

A palavra "respeito" vem do latim e significa "ação de olhar para trás". Pensar no gesto que essa palavra carrega é importante pois ajuda a desconstruir a ideia de que é possível impor respeito. Quando respeitamos alguém, nos disponibilizamos para a conexão, afirmamos silenciosamente: estou aqui, com você e por você. O respeito nunca pode ser unilateral, porque, quando escolho olhar para trás, é para me certificar de que continuamos seguindo na mesma direção, juntos.

Nas relações mais autoritárias, confunde-se respeito com medo ou, ainda, com a sensação de dever, uma confusão que, nas dinâmicas familiares, se arrasta até se tornar um peso que dificulta o diálogo entre as pessoas e afasta os membros da família uns dos outros. A frase "era só meu pai olhar para mim que eu já sabia o que fazer" deixa essa ideia muito clara. Esse pai com olhar de raio laser não criava respeito, mas imprimia medo. E conseguia, através dessa emoção, o controle e a obediência do filho. É interessante notar que, nas crianças de hoje em dia, esse olhar implacável já não surte efeito, e muitos pais e mães se questionam por quê. Mas não tem mistério. Não foram as crianças que mudaram, foi o mundo que mudou. Elas não percebem mais a submissão nas relações entre pai e mãe, entre patrão e empregado nem entre criança e adulto. Por isso, se tornaram mais resistentes ao medo. Dessa forma, a construção de uma relação respeitosa precisa de muito mais empenho para existir hoje do que exigia anteriormente. Nas relações mais permissivas, há uma intenção aparente de respeitar a criança.

As necessidades dela são a bandeira que orienta o movimento dos cuidadores, porém, nessa dinâmica, muitas vezes, pais e mães se perdem e se desrespeitam por não estabelecerem os próprios limites. O caminhar na direção da criança se torna uma corrida contra a frustração, o choro ou o sofrimento dela. Sem perceber, pais e mães abrem mão do seu papel de margem ou de contorno porque a ideia de encarar a decepção da criança lhes parece desrespeitosa. É como se os espaços que os adultos ocupam não fosse importante, como se apenas o espaço do filho importasse. Há aí uma confusão entre devoção e respeito, o que quase sempre gera uma situação delicada, uma vez que essa troca não é exatamente perceptível e acontece no espaço sutil da relação familiar.

Sobre isso, Contardo Calligaris, psicanalista e escritor, publicou em sua coluna do jornal *Folha de S. Paulo*: "Em algum momento, a partir da segunda metade do século passado, perdemos a capacidade de criar e educar, porque a frustração infantil se tornou, para nós, um espetáculo insuportável".

O amor moderno pelas crianças é perfeitamente narcisista: queremos vê-las felizes como gostaríamos de ter sido e não fomos. Queremos que encenem a felicidade à qual aspirávamos e que não conquistamos. Elas são o remédio contra as nossas frustrações. Como poderíamos frustrá-las?

Muitos pais e mães falam da dificuldade de se sentirem respeitados quando tentam estabelecer limites, como se a negativa do filho à ordem fosse uma afronta. Esquecemos que a percepção dos limites se constrói também avançando para além dessa demarcação invisível. Quando a criança age dessa forma, ela está aprendendo, dando significado às vontades dos cuidadores. Tem menos a ver com enfrentar e mais com descobrir o mundo à sua volta. Quando conseguimos mudar essa percepção e saímos do lugar de quem se sente desafiado, lidamos com as situações delicadas de um jeito mais possível. A dimensão dos limites, do que pode ou não pode, é uma construção: leva tempo, exige comprometimento, repetição e consistência. Nesse processo, é importante cuidar das expectativas e saber distinguir o que é a busca pelo respeito na relação e o que é o desejo por obediência.

Nas relações parentais mais conscientes e equilibradas, surge um conceito novo, que nos traz certo incômodo e muitas dúvidas. Estamos falando do respeito mútuo, que acontece quando nos dispomos a ouvir a outra parte e a nos colocar de forma clara, entendendo qual é o nosso papel.

Em uma engrenagem enferrujada pelas sombras e pelo tempo, o respeito mútuo é óleo. Eu te respeito e você me respeita: parece óbvio, mas a nossa necessidade de controle sobre as crianças é muito alta e, assim, escorregamos nessa necessidade e deixamos para demonstrar o respeito por eles depois, quando for mais conveniente.

O respeito mútuo abre o tão delicado espaço de escuta, onde, em certos momentos, eu silencio, pois não tenho a necessidade de dar a palavra final. Nesse campo em que os dois participantes se sentem respeitados, não existe o meu medo de ceder, porque há o entendimento de que nem tudo precisa ser do meu jeito. Eu me coloco atento ao que é importante para o outro e avalio, sem perder a identidade de pai e mãe. O respeito mútuo não esvazia a autoridade parental. Pelo contrário. Ele abre a possibilidade da autoridade ser construída sobre uma base sólida e nada

o autoritarismo acredita que as regras servem à manutenção do controle

autoritária. O autoritarismo acredita que as regras servem à manutenção do controle. A autoridade é a percepção do conjunto, da importância de regras colocadas para o bem de todos.

Para você, o que é respeito? Pense quem são as pessoas que você respeita. Por que você respeita essas pessoas? Como elas se relacionam com você? E, principalmente, como elas te fazem sentir?

A simples existência de uma hierarquia numa relação não significa necessariamente que nela exista respeito. O fato de alguém ser seu superior no trabalho, por exemplo, não te faz respeitá-lo automaticamente. Sim, você pode seguir as ordens dele ou dela, e pode até acreditar que sente respeito, mas na verdade é uma percepção que vem carregada de silêncio; não existe a vontade de estar junto dessa pessoa, de fazer com ela, de ser admirado por ela. É algo vazio de significado. Com isso em mente, neste momento em que estamos olhando para a relação com os nossos filhos ou com as crianças à nossa volta, pergunte-se: que tipo de respeito você quer construir com eles?

A hierarquia familiar também não garante respeito. E as crianças sabem disso. No caminhar de pais e filhos, de adultos e crianças, vão existir momentos de troca de saberes, e reconhecer isso faz toda a diferença. Precisamos estar atentos aos ensinamentos que nossos filhos nos proporcionam e aproveitar as oportunidades de nos colocarmos como meros alunos diante da imensa sabedoria das crianças. Você consegue lembrar, na sua relação como filho, o momento em que foi percebido pelos seus pais como alguém que tinha algo para ensinar a eles? Como você se sente ao pensar nisso? E agora, como pai ou mãe, consegue se lembrar de algum momento em que aprendeu algo com a sua criança? Como você se sentiu?

Na construção de uma relação respeitosa, é preciso abrir espaço para a escuta e não ter medo de ouvir o que as crianças dizem, mas sem perder de vista o papel de cuidador: muitas vezes, os adultos confundem escutar a criança com obedecê-la, e são coisas distintas. Para te ajudar na condução desses processos no dia a dia, vale pensar o que é negociável e o que não é. Sentar na cadeirinha do carro não é negociável e, com essa consciência, o pai ou a mãe consegue não se distrair do seu papel e executar a tarefa mesmo sob os protestos do filho. É essa consciência que afasta desse tipo de situação o desrespeito e a violência, ainda que a criança chore ou demonstre frustração.

muitas vezes, os adultos confundem escutar a criança com obedecê-la, e são coisas distintas

A falta de respeito com a criança acontece também quando nos isentamos da nossa função de ser margem.

"Não quero que meu filho se frustre", disse a mãe que acredita em superpoderes.

Morar dentro da cabeça de alguém, mesmo que esse alguém seja nosso filho, ainda não é uma possibilidade. Além do quê, diante da vontade de controlar até os sentimentos do outro, recomendo autocrítica. Nosso controle não salvará o mundo.

A dificuldade em lidar com a frustração do filho nos traz uma outra questão, mais séria e mais profunda: o quanto estamos disponíveis para lidar com esse sentimento, que se mostra de tantos jeitos diferentes? A frustração de uma criança pode ser choro livre, pode ser cara emburrada, pode ser chilique em supermercado, pode ser cabeça contra a parede, pode ser um sem-fim de ações. É a manifestação daquilo que acontece quando se é regido pelos desejos: quero, logo posso. E crescer acreditando nessa verdade é perigoso – e enganoso –, mesmo para mim, que sou uma grande otimista. Sim, podemos ter tudo o que queremos, mas não ao mesmo tempo.

Aprender a lidar com a não concretização de um desejo ou pensamento é um estágio fundamental no processo de virar gente grande. E a mãe ou o pai que não ajuda o filho a atravessar esse túnel está apenas adiando um problema. A frustração chega para todos.

Quando bater o medo da frustração infantil, olhe para as suas frustrações de adulto. Acolha a criança em você que talvez não tenha recebido o colo que desejava e faça um bem para a sociedade: seja empático. Já será muito.

> **"** Para escutar uma criança como sujeito, é preciso apostar que ela é capaz de ser responsável por seus pequenos prazeres e decepções. **"**
>
> CHRISTIAN DUNKER

Conduzir as situações de maneira respeitosa não significa fazer o que a criança quer. Significa ser capaz de estabelecer uma comunicação clara, em que você entende a importância dos limites colocados e consegue a colaboração da criança para fazer o que deve ser feito.

O ato de escutar requer técnica, porém, antes de dominar essa técnica, é fundamental ter consciência da real importância do ouvir nas relações. Como regra geral, gostamos mais de falar, de resolver ou solucionar as questões, do que de simplesmente ouvir. Quando cuidamos da maneira como ouvimos nossas crianças, elas também cuidam de nos ouvir, e assim o respeito vai tomando forma e se consolidando na relação.

Existe um modo reclamação no qual as crianças entram com certa frequência. Esse modo não tem hora certa ou fase específica na vida da criança para aflorar. Acontece basicamente o tempo inteiro e por qualquer motivo, desde que ele ou ela já consiga falar. Tem crianças que reclamam mais, outras que reclamam menos, mas todas gostam de protestar. Vale reclamar do copo que não é o verde, é o azul, da caneca muito cheia ou muito vazia, do requeijão que foi passado no pão todo ou só do lado esquerdo (note que fiquei apenas no café da manhã). As reclamações podem ser porque está nublado, porque está sol. A criança pode reclamar por você ter chegado cedo ou por ter chegado tarde demais. Para mim, um dos protestos mais difíceis de lidar é pelo carro ter sido estacionado no sol e por isso estar quente ou na garagem, que aqui em casa é longe.

Ouvir muitas queixas ao longo do dia vai mexendo no ponteiro do ego, e depois da nonagésima reivindicação, a gente grita com a falta de compreensão da criança. Pensamos alto (bem alto, às vezes): "Não é possível!".

Antes de convidar vocês para um abraço coletivo, quero propor um exercício. E se a gente deixasse de entender essas reclamações como uma ofensa ao nosso comportamento ou à nossa vontade de agradar, de cuidar? E se a gente entendesse que o cérebro da criança e do adolescente não funciona como eu e você imaginamos e que dentro da cabecinha deles existe uma fantástica fábrica de pensamentos? E se a gente deixasse de lado as nossas expectativas sobre o comportamento deles e simplesmente os ouvisse?

Não é ignorar. É ouvir mesmo. Não é dialogar. É apenas ouvir. Olhar no fundo dos olhos deles, se mostrar atento e seguir. Se a reclamação for também uma solicitação, você vai ter a oportunidade de ensinar essa criança a se comunicar de um jeito mais bacana. Se a reclamação for também uma queixa, você vai se mostrar pronto para acolher e ajudar a fazer o problema passar. E se for só uma reclamação mesmo, deixe ser. Tirar o ego da equação faz com que a gente esteja presente de fato para entender cada fala das nossas crianças.

Recentemente atravessei uma situação interessante aqui em casa. Era hora de as crianças tirarem a roupa da máquina e estendê-la no varal. Convoquei os três mais velhos, que receberam o comando com reclamação. Dois deles, João e Teresa, foram fazer a tarefa. Irene disse que não iria. Respirei fundo e dei um belo sermão disfarçado de conversa sobre colaboração e a importância de agir pelo coletivo. Ela ouviu atentamente, mas seguiu para o quarto, onde começou a brincar tranquilamente de boneca. Eu não estava satisfeita e queria sensibilizar minha filha. Queria que ela repensasse a sua atitude e que fosse estender roupas como os irmãos. Fui até o quarto falar com ela e disse que esperava que ela refletisse sobre o que tinha acontecido, que não era possível, numa casa com tanta gente, ela fazer sempre o que queria. Eu estava conectada com as minhas emoções e sabia que estava cruzando uma linha tênue entre querer fazê-la se sentir culpada por suas escolhas e forçar a barra para ela fazer algo que eu queria que fosse feito.

Irene manteve-se firme:

— Mãe, agora eu quero brincar.

Aquilo ali era um limite muito claro de um desejo da minha filha. E eu não podia ultrapassá-lo, porque o meu recado seria:

— O seu limite não importa, a minha vontade deve se sobrepor à sua, porque sou sua mãe.

Ouvi, respirei e saí do quarto frustrada.

Encontrei meu companheiro no meio do caminho e descontei nele a minha raiva, afinal não sou nem quero ser Buda. Mas ele fez ponderações importantes, e voltei ao quarto, desta vez para resolver:

— Ok, filha. Entendi que agora você quer brincar, mas será que você pode estender as roupas quando você terminar?

— Posso, sim.

E a conversa estava encerrada.

Eu poderia ter exigido dela que fosse fazer a tarefa.

Poderia ter me sentido ofendida pela negativa dela.

Poderia ter gritado e castigado aquela insolência.

Mas preferi ver uma menina estabelecendo um limite.

Preferi ver uma menina sendo capaz de dizer "não" para a mãe – e me orgulhar disso, porque não é o que as garotas normalmente fazem na vida adulta. Estamos tão acostumadas a ceder e fazer pelo outro que nos perdemos quando precisamos impor nossas vontades.

Preferi cuidar do que sinto e ter consciência das minhas emoções para estabelecer uma conversa franca, na qual o respeito tanto de uma quanto de outra foi levado em consideração.

Como fala Diogo Lara, psiquiatra e escritor, em seu livro *Imersão*: "Dizer sim quando se quer dizer não é uma ótima maneira de odiar a si mesmo".

Não percebemos em que medida a pessoa que nos tornamos na idade adulta vem dessas primeiras relações emocionais que se estabelecem na infância. A interação com o cuidador é a lente pela qual a criança se vê. O que você está permitindo que a sua criança veja sobre ela mesma?

a interação com o cuidador é a lente pela qual a criança se vê

Sei que não é fácil, nem simples. Sei que em alguns momentos vamos ser bem-sucedidos, e em outros vamos meter os pés pelas mãos. Mas a jornada por uma relação consciente passa por nos colocarmos atentos aos nossos passos, firmes aos nossos propósitos.

Uma relação respeitosa é construída ao longo do tempo e dos espaços partilhados. Não há regras, manuais, dicas. Mas divido aqui o que fui aprendendo ao longo do meu caminho, esperando que possam ser úteis.

Fale sobre você e sobre como você se sente

Seu filho não é o responsável por sua alegria, felicidade, raiva ou frustração. E você, como adulto, precisa cuidar do que te leva a se sentir de um jeito ou de outro. Sendo assim, em vez de dizer "a mamãe vai ficar brava se você riscar a parede", você poderia falar "vou ficar brava porque não gosto de paredes riscadas. Vamos desenhar no papel?".

É importante lembrar que você pode dizer qualquer coisa a qualquer pessoa, desde que tenha clareza do que está sentindo e fale no tempo certo. Quando colocamos na criança a responsabilidade por nossos sentimentos, não só jogamos sobre ela um peso que ela não consegue nem precisa carregar como também perdemos a autonomia sobre a nossa regulação.

Cuide das suas palavras

Cada idade exige de nós um tipo de interação, mas que precisa sempre ser clara e direta. Para crianças de 1 ano que batem, você diz "carinho" ou "cuidado com suas mãozinhas", para evitar esse tipo de reação, que, aliás, diz muito mais sobre o corpo do que sobre a ação em si – um bebê, quando bate, quer comunicar a sua frustração, e os braços são uma extensão do que ele sente por dentro. O não-verbal também é comunicação, e é preciso redirecioná-lo incansavelmente.

À medida que a criança cresce, nosso repertório e nossa capacidade de observação também devem aumentar: podemos utilizar mais palavras e emoções para falar sobre um comportamento que incomoda.

Crianças de 5 anos que batem nos amigos estão pedindo ajuda com algo com que não estão sabendo lidar. Essa reatividade ou falta de paciência para lidar com as situações indica a necessidade de acolhimento e diálogo; só com ambos elas se sentirão seguras para se expressarem de outra forma.

Observe a diferença entre culpa e responsabilidade

Apontar culpados é o que fazemos quando não queremos olhar para a parte de responsabilidade que nos cabe. Entre adultos e crianças, essa atitude é absolutamente comum, pois os pequenos são a parte naturalmente mais fraca, ou seja, é fácil depositar neles qualquer culpa. E ela acaba por estabelecer uma relação na qual a criança não se reconhece, não encontra espaço para falar, já que sempre sai das situações como a culpada. É uma dinâmica muito fácil de acontecer também nas disputas entre irmãos, o que cria rótulos perigosos, que ficam colados por toda a vida. Sem perceber, escolhemos quem é o cabeça quente, quem é o que apanha, quem é o bonzinho, que é o que sempre começa as confusões. A culpa é ruidosa e aponta para o erro. A responsabilidade, mais silenciosa, aponta para a solução. Em qual ponta você deseja estar?

———◁▷———

— Não é culpa de ninguém. O que a gente precisa saber é quem vai assumir a responsabilidade.

— E qual é a diferença, mãe?

— O culpado não tenta resolver. Ele fica lá querendo que alguém tenha pena dele. Às vezes, pede desculpa e acha que está tudo resolvido, mas também fica com raiva, querendo descontar. Já o responsável entende que errou e, mesmo achando ruim, sabe que não é ele o erro. E, por isso, não tem medo de encarar a questão. A gente não precisa ter vergonha de errar, porque todo mundo erra. Eu erro muito. Mas, toda vez que a gente erra, cabe respirar e recomeçar.

Buscamos culpados externos para os nossos erros na tentativa de aliviar o peso que é lidar com as próprias falhas. Não fomos criados para reparar, apenas para nos envergonhar pela não perfeição.

Errou? Castigo.

Vacilou? Perde alguma coisa.

Mentiu? Que decepção.

E assim nos tornamos caçadores de bruxas, sempre com o dedo em riste, tentando nos livrar da vergonha de errar. O problema é que o buscador de culpa gera um clima de disputa, afinal ninguém gosta de ser acusado, e aí se cria um ciclo de apontamentos e mágoas que vai esvaziando as relações. Erros causam desconforto mesmo. Mas todo mundo erra. Uma vida com o dedo na cara do outro, sem ponderar a parte que nos cabe, é fácil. Difícil é desejar e ser a solução. É entender que não existem culpados e que, quando nos vemos como responsáveis, temos a potente chance de refazer – quantas vezes forem necessárias.

———

Nosso desejo de impor é o registro do pequeno poder: diante de alguém menor, eu cresço e exerço uma força quase opressora. Queremos que as crianças façam o que está na nossa cabeça, do nosso jeito, porque sim e ponto-final. Ou então damos as mais variadas justificativas: porque estamos cansados, porque o nosso jeito é melhor e mais rápido. E, sem perceber, roubamos a autonomia da criança e diminuímos seu potencial de desenvolvimento, simplesmente porque acreditamos que respeitar é seguir ordens.

Do lado da criança, o que acontece quando não se sente respeitada, ouvida e acolhida é ela desenvolver uma necessidade de se colocar, de se posicionar, de ir contra. E temos certeza de que esse comportamento é pessoal contra nós, que a criança quer nos manipular, nos afrontar, nos desafiar. Diante de uma enxurrada de ordens —

Escova os dentes!

Arruma os brinquedos!

Desliga a TV!

Vem almoçar!

Arruma o quarto!

Para de brigar!

Fala baixo!

Desliga o videogame!

Amarra o sapato!

Vai estudar!

Passa agora para o banho!

— o cérebro manda uma resposta exclamativa para o corpo: resista! Porque é como se a pessoa estivesse sob ataque. Já tentou se colocar no lugar dessa criança que passa o dia ouvindo esse tipo de comando?

Responde o e-mail.

Fala baixo na reunião.

Espera a sua vez de apresentar o projeto.

Termina a planilha.

Entrega o relatório.

Vai ao RH agora.

Fala baixo com sua colega de mesa.

Essa maneira de se comunicar com a criança, além de não ser respeitosa, não a convida a se perceber como parte da casa. Sem que ela adquira esse senso de pertencimento, fica muito mais difícil trazê-la para a colaboração e execução de tarefas simples como arrumar seus brinquedos ou escovar os dentes.

E já que estamos olhando para questões profundas aqui, vale refletir de verdade sobre o que você sente quando não tem uma ordem atendida ou quando fala e não é ouvida por sua criança. Que emoção toma conta de você? E de onde ela vem? O que essa emoção diz sobre você?

Quando racionalizamos tais questões, percebemos que não faz muito sentido atribuir a um bebê ou mesmo a uma criança o poder de manipular ou mesmo desafiar um adulto, certo? Quando repetimos ordens atrás de ordens, isso diz mais sobre nós, os grandes, e nossas inseguranças do que sobre os pequenos e seus desejos. Por mais inteligentes que as crianças sejam, elas não têm repertório emocional para criar estratégias sofisticadas de manipulação. O que há são situações em que elas percebem que conseguem captar a atenção dos cuidadores e tentam reproduzir isso incansavelmente.

A ideia de filhos manipuladores revela uma enorme infantilidade, ou uma incapacidade de comunicação, por parte dos adultos.

Estranhamentos desse tipo entre pais e filhos costumam acontecer depois do segundo ano de vida da criança, quando ela começa a dar sinais claros de individualização. Lidar com esse processo pode ser intenso para os cuidadores, até então acostumados a colocar o bebê debaixo do braço e fazer o que achavam melhor. Embora costume acontecer nessa idade, não existe bem um marco etário. Já ouvi de pais e mães que um bebê que demanda em excesso o peito para mamar estaria manipulando a mãe – ou seja, basta a criança demonstrar algum tipo de necessidade que não esteja em sintonia com a expectativa dos pais para eles se sentirem incomodados. Mas o fato é que ali perto dos 2 anos o seu filho ou a sua filha vai deixar clara a própria individualidade e até exigir um respeito que pode te deixar confuso. E está tudo bem não saber exatamente o que fazer mesmo nas situações simples do dia a dia, como colocar no banho, tirar do banho, escovar os dentes, trocar a roupa ou estudar. Não ter respostas é uma excelente oportunidade para começar a perceber a relação por novos ângulos e construir uma parentalidade autêntica.

Lembre-se: todas essas situações são excelentes oportunidades para você entender o que é um valor ou uma regra inegociável e o que pode ser feito do jeito do outro. Cinto e cadeirinha, por exemplo, são questões de segurança sobre as quais não cabe qualquer tipo de relaxamento. Já o banho antes de dormir, pode ser reconsiderado em determinados dias.

Precisamos parar de querer racionalizar a existência das crianças. Mesmo após a conquista da linguagem verbal, com a comunicação estabelecida, a criança é regida pelos próprios desejos e luta para se manter fiel a eles. Coisa que desaprendemos com o passar do tempo, o que nos leva a uma desconexão enorme com a nossa essência. Os pequenos são capazes de entender o que é dito e pedido pelos adultos, mas os caminhos neurais desse entendimento não são os da razão. Você já falou três vezes para uma criança de 4 anos parar de fazer o que ela está fazendo; ela já ouviu, já entendeu, mas faz mais uma vez. Você então grita na tentativa de parar a criança, de se sentir ouvido. Parece lógico que a criança sabe o que precisa ser feito e, portanto, o grito é justificado. Esquecemos apenas deste detalhe: a criança não opera na razão. Simples assim. Os componentes da nossa lógica podem ser totalmente ilógicos para os pequenos. Nesse tipo de situação e sempre que for possível, chegue junto da criança, olhe no olho, comunique-se de forma clara, firme e também amorosa. Observe o que a criança está fazendo, entre no mundo dela, antes de querer que ela vá para o seu. Pais, mães, madrastas, padrastos, professores, cuidadores em geral se esquecem de rir em situações desafiadoras. Ficamos tão focados em ter as nossas vontades atendidas no exato momento em que as queremos, que endurecemos. Mas o que é uma criança se não a personificação da leveza, do riso e da possibilidade? E não, não precisamos virar humoristas e fazer piada com situações sérias, mas podemos encontrar na brincadeira e na leveza caminhos menos combativos e pesados para nos relacionar com as crianças. Confesso que esse é um dos maiores desafios na minha maternidade, e me sinto vitoriosa sempre que consigo rir ou ser bem-humorada em situações pesadas com as crianças.

———◦———

Recentemente, Joaquim, nosso filho mais novo, transformou os cabides em arco-e-flecha. Os cabides mais flexíveis servem perfeitamente para essa função, mas ele, claro, encasquetou com um modelo de acrílico verde-neon, que não era flexível. Quando me pediu para pegar o cabide, tentei explicar através da lógica que aquele cabide não serviria para o que ele queria. Argumentei racionalmente, mas Joaquim saiu muito chateado. No meio do caminho, encontrou o pai, que ouviu seus lamentos e, em vez de tentar reforçar a minha explicação lógica, escolheu brincar:

— Você quer esse cabide aqui? Mas ele é muito duro, olha só! — E fez uma voz engraçada, transformou o cabide em um objeto falante e assim, em três minutos, despistou uma criança brava e frustrada.

Em outra situação, num atendimento a um casal, o pai se perguntava como fazer a filha voltar a colocar o cinto e sentar na cadeirinha após uma parada. A criança tinha 4 anos. Que tal brincar para ter um comando atendido? Nem pensar. Se o brincar anda esquecido com os menores, com os maiores nem é cogitado. E assim nos deixamos guiar pela rigidez, perpetuando a ideia de que a dor constrói mais do que o amor. Escolher brincar e entrar no mundo da criança pode ser um atalho para fazer as coisas funcionarem exatamente do jeito que você quer, só que orientado pela leveza da brincadeira.

Vivemos numa corrida contra o relógio, pensando quando essas dificuldades vão acabar. Quando meu filho vai simplesmente me ouvir e fazer o que eu quero que seja feito? Mas a verdade é que não temos essa resposta porque as coisas com as crianças não acontecem de forma linear. Ir e voltar no processo de crescer é natural e se disponibilizar para sustentar os momentos em que elas precisam do nosso colo, ainda que pareçam grandes, faz com que esses momentos sejam atravessados com leveza. Precisamos acreditar na construção de uma relação que nos melhora como seres humanos e entender que o tempo da criança de ser criança não precisa ter uma linha de chegada, um ponto-final. Se a gente perceber o crescimento como uma estrada a ser percorrida, vamos nos permitir sentir mais e elaborar melhor o que acontece conosco. Temos a chance de nos tornar adultos mais conscientes de quem somos, e isso pode ser bastante positivo para as próximas gerações.

Lembro de sentir muitos medos na relação com meu primeiro filho. "Pode ou não pode?" era uma pergunta que me rondava, mas na época a maternidade não era um tema da moda e os espaços de troca eram poucos. Uma década atrás, a criação com apego não estava na pauta, o que me fez me desprender um pouco do instinto e me abrir para a intuição.

Por instinto, revidamos.

Por instinto, nos defendemos.

Por instinto, reagimos.

Na intuição, observamos.

Na intuição, cheiramos.

Na intuição, acolhemos.

O tempo foi passando, e essa minha abertura para a intuição fez com que os medos fossem dando lugar a uma segurança acompanhada de tranquilidade. Parei de buscar cartilhas e modelos de criação porque entendi que a maternidade não se resume a regras nem ao que é ou não permitido. Tudo isso é razão. Mas nossos filhos nos convidam a sentir; e sem sentimento, não tem conexão.

O que é dito através do não verbal? O que meu filho está querendo me falar quando chora? Por que me dói tanto ouvir? Por que me incomoda?

Penso que, para a maioria das perguntas, o colo é a melhor resposta, tanto para a mãe quanto para os filhos.

Qual é o seu jeito de resolver os desafios com seu filho?

É um jeito respeitoso com ele? Com você?

Por que a resposta que ele ou ela te dá te leva a perder o controle?

O que está por trás do comportamento da criança?

O que está por trás da sua impaciência?

Um modo questionador possibilita sair da grande dúvida de pais e mães, que é como agir sem ser permissivo ou autoritário demais. Porque, ao se fazer certas perguntas, você se permite se conectar com as suas emoções, com a sua verdade. Seja honesto sobre os seus limites e aja a partir daí. Eles devem ser a régua, porque são a sua régua. No seu dia a dia, você não vai conseguir decorar uma lista das frases certas ou aquelas que causam frustração na criança. Então, siga o seu coração, observe-se e lembre-se de respirar toda vez que estiver na iminência de se perder.

A compreensão das necessidades dos pequenos e também dos grandes nos abastece emocionalmente para lidar melhor com as situações: está com sono? Com fome? Com ciúmes? Com raiva? Está com medo? Está inseguro? Por quê? Para cada uma dessas respostas, existe uma maneira de conduzir que não é violenta, não é desrespeitosa com a criança, ainda que cause desconforto a você. Permita que seu filho ou filha se coloque e diga de forma clara o que está sentindo. Oriente-o a aprender a escutar o próprio corpo em busca da resposta a essas perguntas – esse é um aprendizado que os acompanhará a vida toda. E o mais importante: aceite a resposta e seja capaz de acolher um mau momento da sua criança, sem querer livrá-la desse sentimento.

O bilhete na agenda foi o motivo da conversa.

— O que foi que aconteceu, filha?

— Sabe o que é, mãe?

E lá veio uma história enorme sobre um banho de mangueira não autorizado. Que se desenrolou de um jeito inesperado.

— A Valentina disse para a coordenadora que a professora tinha deixado.

— E o que você falou, filha?

— Eu não falei nada. Fiquei quieta.

— Mas você sabia que a professora não tinha deixado?

— Sabia.

— Então, filha, isso é um jeito de mentir também. Se a gente escolhe ficar calado sendo que sabe a verdade, está mentindo junto com a amiga.

Irene é uma menina justa. Ela percebe quando erra e se cobra bastante para fazer o que é certo. E diante da minha revelação sobre a mentira, ela chorou de soluçar.

— Eu não queria ter mentido, mãe!

— Está tudo bem, filha. O que você acha que pode fazer agora?

— Agora eu já vou saber.

Achei razoável. Ela estava aprendendo algo novo e se comprometeu a ficar atenta.

Pode ser que ela escolha silenciar novamente? Claro que sim. Talvez ela queira proteger a amiga. Talvez não tenha coragem de se colocar. Talvez tenha medo. O mais importante disso tudo é ver o processo acontecendo e entender que o resultado virá depois. E você, como observa os processos do seu filho?

Em algum momento, será preciso enfrentar o choro do seu filho, sem se deixar vulnerabilizar. É importante lembrar que nossos filhos não estão aqui para nos fazer sentir bem o tempo todo, ou para cumprir as nossas expectativas. Eles são indivíduos que sentem tudo em uma intensidade muito maior do que nós adultos. E ainda não possuem as nossas ferramentas emocionais para lidar com pequenos estresses, com frustrações, com dores, com medos. Além disso, embora nós sejamos possuidores dessas ferramentas, muitas vezes o melhor que podemos ofertar a eles é simplesmente a nossa presença. Quando estamos juntos e conscientes do nosso papel, sustentamos os pequenos e os grandes desconfortos ao lado das crianças sem a necessidade de resolver ou de fazer passar, porque temos a consciência de que precisam ser sentidos, vividos. Pelos nossos filhos e filhas e por nós, como pais.

É papel do adulto preservar a criança e, quando a expressão das emoções coloca essa criança em risco, seja físico ou emocional, pai e mãe precisam lembrar de ser a margem, que não permite o rio transbordar ou perder sua forma.

Estamos sempre tentando parar os comportamentos que julgamos inadequados, sem buscar as raízes deles. Lembra os pais que silenciavam os filhos? Quando a gente não permite que a criança demonstre o que sente, estamos agindo da mesma forma, repetindo esse padrão.

Recentemente, atendi uma mãe de duas crianças: uma de 2 anos e meio e uma recém-nascida. A criança mais velha estava completamente perdida, sem controle, algo comum quando a família aumenta. Ela já tinha desfraldado mas havia voltado a fazer xixi na calcinha. Não queria comer, chorava por tudo, e até para dormir estava dando trabalho.

Sob um olhar mais duro e controlador sobre os comportamentos infantis, poderíamos dizer meramente que ela estava birrenta ou tinha se tornado uma criança "difícil". Mas ela estava apenas sofrendo. E, embora entendesse a dor da filha, a mãe não estava conseguindo parar nenhum mau comportamento. Ela não queria ser a causa de mais sofrimento à filha mais velha e por isso estava permitindo comportamentos que deixavam a casa inteira em estado de alerta e estresse. É importante lembrar que não existe respeito mútuo entre nós e a criança quando simplesmente atendemos aos desejos dela. O respeito mútuo existe quando a gente estabelece limites e os coloca de forma clara – mesmo que precise repeti-los inúmeras vezes, já que se trata de um processo de aprendizado. Mesmo com todas as transformações que acontecem com a chegada de um novo filho, é fundamental que os pais não se ausentem de seus papéis, desenhando a margem que as crianças precisam para atravessar situações desafiadoras.

Preciso dizer ainda que o respeito, diferentemente do que a gente gosta de acreditar, é uma medida particular, e não universal. Tem coisas que para mim serão desrespeitosas e para você, não. E aí é importante entender que, quando estamos em um grupo maior, com outras crianças e outros pais, precisamos ficar atentos ao outro. Nem tudo é permitido, nem tudo está disponível, e nesses casos os adultos são os intermediadores. Para ser capaz de orientar seu filho, você precisa entender o que cabe naquele lugar e para aquelas pessoas.

Na minha casa, pode pular no sofá. Na sua, não pode. Se estou na sua casa, então o que vale são as suas regras. Se não olho para o limite do outro, não ensino o meu filho a olhar.

O LIMITE ESTÁ SEMPRE ALI, MAS COMO VÊ-LO?

Considero o limite como algo estruturante e gosto de pensar nele como um contorno, uma película protetora que envolve a criança e que expande à medida que ela cresce e que nós crescemos juntos. As crianças precisam entender regras, precisam cumprir combinados e precisam reconhecer que pai e mãe estabelecem de forma clara essa margem, esse limite.

Os adultos não podem ter medo de colocar limites e de frustrar a criança, porque isso faz parte da construção dela como indivíduo. O fundamental nesse processo é que o adulto esteja pronto para acolher a criança quando ela se sentir frustrada, chateada ou mesmo raivosa.

Esse acolhimento pode ser o seu colo, caso seu filho seja mais sinestésico. Se ele não gosta muito do toque, você pode dizer: "Eu sei que você está chateado e estou aqui pra te ajudar a atravessar isso". Você pode oferecer a sua mão, a sua presença e até o seu silêncio. O que quer que seu filho precise, esteja disponível para dar.

Para tentar clarear um pouco mais essa questão do respeito mútuo, trago uma situação muito comum, que acontece na grande maioria das casas, na hora da refeição.

A comida quase sempre é uma questão nas famílias. De um lado, pais querendo pratos com cinco cores; do outro, a criança focada no carboidrato.

Eu já vivi e ainda vivo situações desafiadoras na hora das refeições.

Adoraria poder dizer que meus quatro filhos se alimentam superbem, mas não é exatamente isso o que acontece. Já fui muito combativa nesses momentos, e com João, meu primeiro filho, lembro de cenas horrorosas em que minha vontade mesmo era enfiar a colher de comida na boca dele.

A verdade é que a fome do outro, do que o outro gosta, a disponibilidade de experimentar, não estão em nosso controle. E assimilar isso dói. Quando nos vemos diante de uma criança seletiva ou que enrola para comer, quase ficamos loucos e fatalmente nos sentimos culpados, porque um filho que come bem é um troféu, uma validação social da competência materna ou paterna. No entanto, essa linha de raciocínio invisibiliza a criança, seu corpo, sua estrutura, sua fome, seu processo digestivo, seu paladar, em prol de um desejo de controlar.

Esquecemos o nosso papel de nutrir a criança para além das vitaminas e dos sais minerais. Nos apegamos à forma e estabelecemos uma guerra num momento que deveria ser de paz.

Quero deixar claro que não estou falando de crianças com seletividade extrema ou qualquer outro problema alimentar. Essas crianças precisam ser acompanhadas por nutricionistas e outros especialistas, assim como seus cuidadores também precisam de amparo no campo emocional para lidar com essa situação. Falo aqui da criança que apenas é mais custosa para comer.

Nesse caso, qual é a sua função como pai e mãe?

É obrigar a criança a raspar o prato ou é fazer com que ela entenda a importância de se alimentar bem, de forma saudável?

Se a gente responder a essa pergunta, talvez fique mais fácil aplicar o conceito de respeito mútuo.

Tenho aprendido que comida é memória e que o meu papel é fazer com que meus filhos entendam o prazer de se sentar à mesa e de ter comida gostosa no prato. Meu papel é ensinar a importância das conversas que acontecem na hora da refeição. Meu papel é oferecer e, claro, comer como quem agradece.

Se essas são as minhas escolhas ao pensar no que é uma refeição, não cabe grito, suborno, manipulação nem castigo:

Tem que comer tudo.

Só sai da mesa quando o prato estiver limpo.

Se não comer, não tem tevê.

Essas frases não constroem uma boa relação com a comida e, novamente, expõem a sua necessidade de controle, de uma performance social, expõem uma expectativa que não necessariamente dialoga com a da criança.

Sei que falar é fácil, mas juro que sei também como é desesperadora a ideia de a criança não comer. Só que isso não diz respeito a você. Diz respeito a outra pessoa.

É preciso aprender a confiar no processo, a abrir mão do controle, a não desviar da rota – e, claro, levar ao pediatra para garantir que a criança está crescendo, que está tudo bem. Sobre isso, a consultora de alimentação intuitiva Neyara Andrade diz: "Desenvolver nas crianças uma boa relação com a comida é mais questão de não atrapalhar do que de ajudar. Pode parecer incrível, mas todos nascemos conectados com nossos sinais internos que indicam quando, quanto e o que comer. Nascemos praticando alimentação intuitiva".

E na visão da alimentação intuitiva, não existe comida "boa" ou "ruim" (nem "lixo", "porcaria", "besteira" etc.); existe comida e comida divertida. A comida divertida pode não ter uma enorme função nutricional, mas agrada o paladar.

Assim como não passamos dias a fio trabalhando, não nos divertimos o tempo inteiro.

Com a nossa alimentação, é parecido.

Quando damos a todas as comidas o mesmo valor moral, fica mais fácil exercer a escolha, ouvir as necessidades do corpo. Não precisamos usar a força de vontade para não comer uma comida; ela simplesmente não nos apetece naquele momento.

É inegável que uma cenoura não tem o mesmo valor nutricional de um bolo de cenoura[1], mas ambos têm o mesmo valor moral.

Quando se pensa assim, não há vergonha nem culpa no ato de comer.

Nós, pais e cuidadores, somos os principais modelos para as crianças. Assim, para ajudar seu filho a manter uma relação saudável com a comida, tente:

- não ser a torcedora ou o torcedor oficial dos brócolis (ou da alface, couve-flor etc.); se você ficar chamando a atenção para a comida, a criança vai reagir a você, e não aos próprios sinais internos;
- comer uma boa variedade de alimentos e curtir essas refeições em família, comendo juntos sempre que possível;
- não usar comida para recompensar, punir ou confortar a criança; há outras formas de lidar com as emoções sem usar comida.

E está tudo bem se seu filho não comer de um tudo. Você também não come!

---

1   A Sociedade Brasileira de Pediatria orienta a não oferecer açúcar para crianças com menos de 2 anos.

Contrariando o cardápio da semana, ela pediu para levar mamão cortado para o lanche da escola, que indicava banana. Na volta, temos o ritual de desfazer as lancheiras e, para minha surpresa, o mamão do jeito que foi voltou. Na hora do almoço, o pai se sentou no lugar dela, e isso foi motivo para muito choro e desculpa para escapar de mais uma refeição. Não quis almoçar.

Alimentar filhos é algo que mexe no ponteiro do nosso ego, e deixar-se afetar é um grande erro. Quando a introdução alimentar começa, parece que vamos ser submetidas a um teste de qualidade de maternidade. Quem fizer o bebê comer brócolis ganha. O que ninguém conta é que tudo pode ser um mar de rosas até se transformar num tsunami: a criança que comia tudo passa a rejeitar até salsa picada. A mãe se descabela, sofre, busca fora todas as alternativas para resolver o problema do filho que está comendo mal.

Olhar para a sua própria relação com a comida, ninguém quer.

Experimente tirar o ego dessa receita. Experimente entender e aceitar seu filho com as dificuldades que ele tem. Desligue a tevê e transforme as refeições em um momento de conexão. A mesa precisa ser um lugar de convívio, de diálogo. Ninguém aprende a gostar de comida quando tem uma colher sendo enfiada goela abaixo.

Promova o bem-estar trazendo para as refeições diversidade, cores e sabores. Aproveite, se divirta, conte histórias, ouça, compartilhe do seu prato. E confie que, aos poucos, a relação das crianças com o ato de se alimentar vai sendo transformada. Mas saiba que começa com você.

Lembro de uma mãe, em um workshop, que estava desesperada porque o filho tinha se transformado de uma criança que comia tudo em uma altamente seletiva; ela fazia de tudo para ele comer os verdes, batia na sopa, misturava no feijão, e o filho continuava super-resistente. Então, eu trouxe a perspectiva de que a gente trabalha tanto no agora, no controle, que esquece que tem a vida toda para aprender a gostar de coisas novas ou reaprender a gostar. E que, se a criança sente que a mesa é um lugar para explorar, que é um lugar de encontro e de respeito, ela vai se abrir para essas experiências no momento certo.

CADA ERRO MERECE RESPEITO

Como você lida com seus erros? Esse é o ponto de partida para a gente dialogar sobre os erros dos nossos filhos e como eles nos atravessam. Escolhemos chamar de birra qualquer manifestação de oposição a nossos comandos e nos tornamos bons em apontar o dedo para as crianças, mas a verdade é que todos nós temos nossos dias ruins e, nesses dias, a melhor coisa é encontrar alguém que demonstre empatia e não responda com qualquer tipo de violência que piore a situação.

Fomos adestrados a não lidar com nossos erros, a não dialogar sobre eles. Nossas falhas nos envergonhavam e dificilmente seríamos acolhidos ao fazer algo fora do esperado. Crescemos com a noção de que o erro é algo ruim, que nos diminui e hoje, diante de uma criança que erra ou se expressa de maneira autêntica, somos invadidos pelo desconforto e pela necessidade de parar o comportamento dessa criança.

Gostamos de menosprezar o sentir da criança e fazemos isso classificando esse transbordar como birra. Esquecemos que, quando a gente não consegue dar conta do que sentimos, também fazemos birra.

Quando todos os colegas de trabalho escolhem uma solução com a qual você não concorda e você dá aquela resposta atravessada, isso é birra.

Quando o marido não lava a louça e você fecha a cara, isso é birra.

Quando a criança não atende aos seus comandos e você dá um grito, isso também é birra.

A birra é uma forma de expressar um descontentamento. Um jeito que o corpo, através das nossas palavras ou dos nossos gestos, encontra de jogar fora as emoções ou as necessidades não atendidas.

Portanto, não tem idade para fazer birra. Só que, na relação com o bebê, a criança ou mesmo o adolescente, alguém tem que se lembrar de ser adulto e conduzir os processos de regulação emocional com tranquilidade e equilíbrio.

Quando um filho erra, faz birra e ativa gatilhos de mágoa, o adulto pode ter uma reação muito parecida com a da criança. O cansaço, o estresse, a frustração e tantas outras emoções que nos deixam à flor da pele nos fazem desejar que tudo fosse um pouco mais fácil e não nos deixam ver que esses momentos de maior dificuldade são oportunidades incríveis de ensinar lições valiosas para a criança. Não lições de moral, mas de afeto, de respeito.

Depois da fase em que o bebê está entregue ao amor e aos cuidados dos pais, vem uma ruptura significativa na dinâmica familiar e no comportamento desse agora não mais bebê. Ao se perceber indivíduo, o pequeno ser entende que precisa se separar e desenhar novos limites para seus cuidadores, limites que dizem respeito ao que ele quer, ao que ele deseja. Esse mecanismo é popularmente conhecido como birra, e ela dura praticamente a vida inteira.

O pai quer proteger o filho do frio, e o filho tira o casaco.

A mãe quer dar a comida, e o filho cospe.

O pai quer que o filho empreste os brinquedos na pracinha, mas ele não quer de jeito nenhum.

Tudo isso fere as expectativas desse pai e dessa mãe, que sentem uma enorme dificuldade de entender e aceitar esse processo de separação e de individualização. O que acontece a partir daí é uma série de sentimentos e emoções distorcidas, em que o adulto se sente manipulado pelo bebê, depois pela criança, depois pelo adolescente. É estabelecido um jogo de culpa (já falamos sobre essa herança da infância), porque alguém precisa ser o culpado pelo "mau comportamento", e tudo o que o pai ou a mãe quer é que a criança volte a ser o bebê que simplesmente podia ser colocado no colo e balançado até parar de chorar, ou seja, que estava sob o seu domínio e controle.

Nossos filhos precisam se separar da gente para existir como indivíduos. E a mãe deve buscar nesse momento ir se tornando desnecessária. Os filhos não pertencem a nós e não estão neste mundo para levar adiante nossos valores pessoais. A gente ensina, vive tais valores e, com sorte, os filhos carregam alguns consigo. Mas cada um precisa escolher os próprios caminhos e ter as próprias verdades. Se não, é como criar passarinho para cantar dentro da gaiola, para a plateia de casa.

Se entender como uma pessoa diferente do pai e da mãe gera emoções diversas na criança. Ela sente medo, vontades e muitas frustrações.

Então, para ajudá-la a lidar com todas essas transformações que estão e vão continuar acontecendo, anote aí alguns lembretes rápidos:

- Seu filho não faz birra para te manipular. Ou: o mundo não gira em torno do seu umbigo. Tem uma pessoa querendo, precisando de espaço para se ver como gente.
- A birra é uma forma de comunicação do bebê, da criança e também do adolescente. Seu filho ou sua filha ainda não tem ferramentas emocionais para lidar com o que sente, e isso muitas vezes se manifesta fisicamente.
- Precisamos ser inteligentes, criativos e pacientes na hora de enfrentar esses momentos com as crianças.

Birras, ataques de fúria e descontrole emocional são sinais claros de que a criança (ou o adulto) perdeu as estribeiras ou, em termos científicos, está em estado de desintegração cerebral. É como se cada parte do cérebro dessa pessoa estivesse fazendo uma coisa diferente, agindo de uma forma diferente. A integração acontece quando tanto o lado esquerdo quanto o direito do cérebro e também o hemisfério superior e o inferior trabalham em equilíbrio.

Exatamente por serem comandadas pelo cérebro e suas diferentes partes, as birras se manifestam de jeitos distintos. Uma criança pode decidir fazer birra, como quando bate o pé, chora e faz um escândalo no meio do shopping, porque quer um brinquedo novo. Ela para assim que tem esse desejo atendido, e o que se estabelece na relação entre o adulto que cede e a criança que pede é uma comunicação nada saudável. Todas as vezes que quiser algo, a criança não vai se dar

Estamos vivendo uma era da domesticação do sentir, em que as emoções podem acontecer, mas dentro de um espaço asséptico, para que ninguém veja.

Mas esquecemos que o sentir é escandaloso. É uma mesa virada, um choro alto, uma raiva espumante. Sentir baixinho é quase não sentir.

Com as crianças, desenvolvemos uma lógica sem pé nem cabeça e, diante de uma criança frustrada que sem vergonha alguma demonstra o que sente, a gente acha que é o contrário: ela não sabe lidar com a frustração.

Queremos crianças que sintam pouco, ou que sintam discretamente, para não incomodar. Porque uma criança exercitando sua liberdade emocional é um lembrete doloroso sobre o quanto estamos contidos em nossas regras invisíveis sobre nós mesmos.

Uma criança que chora, grita, xinga, arremessa coisas, ela sabe sim lidar com as emoções. Ela não precisa ser consertada. Ela precisa ser conduzida, margeada para aprender os melhores caminhos que ela pode percorrer.

Ela precisa ser acolhida e validada para entender que o vulcão dentro dela vai se apagar e que ela não é esse vulcão. Ela é muito mais. Não é aprender a lidar com as emoções. É não desaprender a sentir.

Por fim, ela precisa de adultos que estejam igualmente comprometidos a cuidar do que sentem. Se não, a história fica sem eco, sem coerência, sem verdade.

ao trabalho de estabelecer um diálogo positivo, porque já sabe que se chorar vai ganhar o que quer.

Pais e mães devem entender a manifestação desse comportamento como algo natural, afinal, quem não sonha ao passar na frente de uma bela vitrine? Mas é também uma oportunidade de estabelecer limites claros.

Você pode acolher a criança, validar o seu desejo, não julgar o que ela quer. Pode até se dispor a falar sobre quais são os seus desejos e seguir. Olho no olho, controle emocional e convicção dos seus limites formam o caminho para conseguir atravessar esses vendavais.

Em outros casos, a birra não é uma decisão, uma escolha; a criança de fato se perde naquilo que está sentindo. Pode ser raiva, medo, ansiedade etc. O fato é que ela simplesmente perde a razão e aí pode usar todo o corpo, todo o repertório que possui, para expressar essa erupção interna. Você vai pensar que seu filho perdeu a cabeça, e essa é mesmo uma excelente analogia para o que está acontecendo com ele. Aqui não cabe o diálogo, e a tentativa de obter da criança uma resposta coerente para o que está acontecendo só piora a situação. O ideal é conectar e redirecionar. Quando estabelecemos essa conexão – um tom de voz suave, um abraço apertado, um barulhinho agradável e calmante –, as chances de tirar a criança do transe são maiores. Se houver qualquer possibilidade de a criança se machucar, é preciso tirá-la do espaço em que ela se encontra e se oferecer por inteiro para conduzir esse processo com tranquilidade.

Já ouvi relatos de crianças que passaram mais de uma hora chorando, reclamando por algo que não saiu como ela tinha planejado. Isso, apesar de não ser fácil de lidar, é natural. Não existe um tempo certo de duração da birra. Cada pessoa precisa de um intervalo para conseguir decantar (como aquelas garrafinhas de água e areia mesmo) as emoções. Não podemos medir ou estipular um tempo exato, uma régua de normalidade.

Esses momentos exigem muita conexão, paciência e autocontrole. Ouvir uma criança chorar por uma hora porque quer comer um pedaço de pão doce antes do jantar não é fácil. Mas, se a regra em sua casa é que não pode, ela precisa ser levada a sério por você em primeiro lugar.

A consistência é muito importante também quando se trata de birras e limites. A criança está num processo de entender o mundo à sua volta. Ela sabe o que é certo e errado, mas não tem a nossa moralidade. Por isso ela pode usar um tapa na cara do pai ou da mãe como forma de expressar o seu descontentamento. Para o adulto, isso é uma afronta, uma enorme falta de respeito, porque para ele esse tapa na cara está carregado de valores emocionais:

— Bater não é respeitoso, e nós não batemos em ninguém.

— Eu não vou deixar você bater em mim.

— Bater não. Carinho, filho.

Quando a gente tem consistência na condução dos processos, a criança vai aprendendo as respostas que são aceitáveis ou não e vai se encaixando nos limites da sua família. Na hora de estabelecer os limites, não podemos nos deixar ser dissuadidos pela preguiça, pela falta de paciência ou pelo cansaço, ou a criança não vai tomar consciência do tamanho de sua margem e sempre vai querer ampliar suas perspectivas. Se um dia você deixar seu filho comer pão doce antes do jantar porque não quer argumentar, não quer ouvir choro de criança – tem dias em que um pai ou uma mãe cansada não quer guerra com ninguém mesmo –, tenha consciência do recado que isso transmite para ele. Tenha consciência de que a próxima batalha talvez seja maior, pois a criança pode perder a referência do que pode e do que não pode.

A criança que tem mais de uma casa (pais e mães separados) ou frequenta muito a casa dos avós, onde as regras são diferentes, pode querer levar as decisões de um lugar para o outro, mas com o tempo ela é capaz de perceber e assimilar as diferentes regras dos lugares e das casas que ela frequenta. Ela sabe que cada pessoa se relaciona com ela de um jeito; se você estiver disponível para ensinar, ela vai aprender desde muito cedo que na casa da vovó pode, mas na casa da mamãe não pode; que na casa do papai é de um jeito e na casa da mamãe é de outro. Confie nos limites e nas regras que você deseja estabelecer.

É importante ressaltar que, nas birras que a criança não escolhe fazer, não adianta falar sobre castigos ou consequência. Não faz sentido gastar saliva e buscar caminhos racionais para conter uma explosão que é pura emoção. A criança realmente está fora do seu estado normal, e um caminho "adulto" pode gerar mais desconfortos e prolongar o problema. É preciso acolher e consentir as emoções das crianças nesse processo.

É neste ponto em que pais e mães têm mais dúvidas. O medo de ser permissivo faz com que a gente queira a todo custo conter a birra e as emoções. Existe um medo muito grande de que o acolhimento e a conexão signifiquem "passar a mão na cabeça", admitir o mau comportamento. É por isso que conhecer de verdade o seu filho é o melhor caminho para entender quando você deve dialogar e quando deve se conectar. Quando reconhecemos as reações das crianças, fica mais fácil conduzi-las e ser a margem de que elas precisam.

Só depois de passado o turbilhão, com a razão restabelecida, é que vale a pena ter algum tipo de conversa, não para entender o que houve, mas para no futuro encontrar caminhos que levem os dois, adulto e criança, para fora do estado de descontrole.

Você pode falar: "Filho, você lembra que ficou muito bravo comigo porque cortei sua carne no almoço? Acho que você queria cortar, né? Da próxima vez, tenta falar para o papai o que você quer, porque posso tentar ajudar. Pode ser?". Na sequência, você pode falar sobre o comportamento: "E quando você ficar muito chateado, lembra que não pode jogar comida no chão, filho. Comida, a gente come, não joga no chão".

Fazer isso é construir uma ponte. Não se trata de um feitiço mágico que vai evitar a próxima birra, mas é um gesto que abre espaço para que a criança entenda e perceba que é respeitada; além disso, é como se você estivesse trabalhando, aumentando o pavio do pequeno, para que ele não exploda com tanta facilidade!

É importante pontuar que esse tipo de descontrole emocional não é privilégio de crianças pequenas. Crianças maiores, adolescentes e adultos se perdem constantemente em suas emoções, por isso vale a observação: é fundamental saber reconhecer o que sentimos, dar nome ao que nos toma. Pode parecer fácil, mas não é. Via de regra, a gente não conhece ou não reconhece as próprias emoções. E esse desconhecimento leva a um comportamento muito ruim, que é explodir e responsabilizar ou culpar as crianças quando algo dá errado. A lógica por trás disso é: somente o comportamento perfeito dos nossos filhos pode evitar as nossas explosões. Porém, é uma lógica às avessas, é o oposto de como as coisas devem funcionar. E um modo cômodo e pouco aprofundado de olhar para o papel de pai e mãe.

Nossos gritos, nossos destemperos são responsabilidade nossa. Cabe a cada um de nós cuidar para manter o controle e a razão em seus devidos lugares, sem esperar que as crianças atendam a uma expectativa que não é realista.

SABE QUAL É A COISA MAIS DIFÍCIL NA PRÁTICA DO RESPEITO MÚTUO?

Perceber que seu filho ou sua filha não se cala diante das frustrações e chora sem pudor, grita sem vergonha, joga coisas longe e faz valer o que sente sem considerar se isso te incomoda. A criança de hoje não é subjugada como nós fomos. Ela não se intimida, e suas emoções transbordam com facilidade. Esses momentos obrigam o cuidador a acessar as próprias feridas emocionais, em uma conexão rápida entre passado e presente. A razão dá lugar ao descontrole, e o adulto também se comporta como uma criança.

Nada disso acontece de forma consciente ou clara. Operamos no piloto automático, orientados pelo que acreditamos que deve ser o bom comportamento de uma criança; quando notamos, estamos vivendo situações que mais se parecem quedas de braço, disputas de poder em que perde quem ceder primeiro.

A transformação desse padrão de relacionamento é algo que demanda muita energia e disciplina. É uma jornada longa que tem início em um incômodo, ou no gosto amargo das brigas. E nesse percurso tem dias em que a gente vai conseguir, e outros em que vamos falhar. O fundamental é ter consciência do poder da nossa fala e das nossas ações.

A gente pode, sim, dar aos nossos pequenos aquilo que não tivemos, pelo desejo de não repassar a eles as nossas dores e pela vontade genuína de que eles cresçam mais seguros, confiantes e autônomos emocionalmente.

Respeito mútuo é a noção de que eu sou o adulto e o meu filho é a criança. É a capacidade de entender que aprender é um processo e que as crianças o vivem de forma muito intensa.

Respeito mútuo tem a ver com comunicação eficiente, em que você estabelece as regras e ajuda a criança a entender, cumprir e colaborar com elas.

Respeito mútuo é o entendimento de que as crianças são indivíduos, pessoas. E que isso é motivo suficiente para que eu, como adulto, estabeleça um relacionamento sem qualquer tipo de abuso ou violência, seja física ou verbal.

O respeito mútuo permite o crescimento da família, permite que adultos aprendam com crianças e que crianças aprendam com adultos, num processo que se torna mais intenso à medida que se estabelece um equilíbrio nas posições ocupadas. Pais e mães veem o filho crescido, autônomo e responsável por sua própria felicidade.

4

Vínculos: sobre laços e nós

A visão romântica da maternidade nos faz acreditar no vínculo imediato entre mãe e bebê. É como se a gestação contivesse um botão do amor e que esse amor crescesse com a barriga até se materializar no filho no colo. Seria tudo bem mais simples se o sentimento fosse linear, mas não é.

Vamos ouvir que a prima da vizinha sentiu amor pelo filho no instante em que viu os dois tracinhos no teste de farmácia, e isso pode doer na mãe que ainda não foi acometida por essa paixão. Mas calma! É aos poucos que o amor acontece, e muitas de nós precisam esperar um tempo até serem arrebatadas por esse sentimento.

A mãe que recebe o filho por adoção, mesmo querendo muito aquela criança, precisa de um tempo para recebê-la em seu coração.

A mãe que fez fertilização, mesmo querendo muito aquela criança, também precisa de um tempo para recebê-la em seu coração.

E o pai? Pois é, ainda tem o pai nessa equação. Como e quando ele se torna pai? Como ele constrói esse vínculo? Vínculo não é um passe de mágica, e gerar um filho não garante essa conexão.

O vínculo acontece quando a gente escolhe amar nossos filhos. E quando a gente entende que amor não é posse, e sim respeito. O vínculo acontece quando a gente se responsabiliza por educar, se dispõe a olhar no olho e a ter paciência para ver crescer. Vínculo exige presença física e emocional — não exatamente nessa ordem, nem sempre na mesma intensidade.

A busca por vínculo rege muitas de nossas ações ao longo da vida. Estar vinculado a um grupo, a uma pessoa, a uma ideia significa fazer parte, ser visto e aceito. O vínculo é o fio invisível que conduz nossos afetos e que molda nossa autoestima. Quando olhamos com atenção para o núcleo familiar, tenha ele o formato que tiver, percebemos que é dentro desse espaço e tempo da nossa existência que vamos estabelecer muitas das percepções sobre quem somos e como nos relacionamos, ou seja, sobre a nossa capacidade de criar vínculos. Como essa observação sobre vínculo pode parecer bastante determinista, vale lembrar que o ser humano tem a incrível capacidade de reescrever sua própria história por meio da observação, do cuidado com suas ausências e do mapeamento de suas estimas.

Quando falamos de vínculo, pensamos logo nos bebês, e é fácil construir a ideia do vínculo a partir de ferramentas práticas como a amamentação, o sling ou o colo... É verdade que elas aproximam a mãe e o pai da recém-chegada criaturinha, mas e quem não vivencia essas experiências? Quem não dá de mamar? Quem se torna pai e mãe de crianças maiores? Quem ganha um enteado na formação de uma família nova? Quem está impossibilitada de pegar, carregar no colo? Como é que faz?

A construção de vínculo é para quem está disposto a sentir.

E o sentir precisa de liberdade. Precisa passar pelo medo, pela angústia, pela euforia, até se estabilizar na calmaria, na certeza. Na confirmação de um encontro muito especial que está desenhado em um plano que não controlamos. O sentir vem com o entendimento de que os filhos nos escolhem e que essa relação precisa ser celebrada o tempo todo.

Na busca por uma parentalidade perfeita, criamos padrões de funcionamento nos quais a criação de vínculo se submete ao cumprimento de uma sequência de ações. O parto tem um modelo ideal, a amamentação tem um tempo certo, o tipo de fralda só pode ser um e o jeito de dormir também deve seguir uma norma, inventada provavelmente por um homem. Regulamentamos de forma racional a percepção sobre a construção desse vínculo e estreitamos nossa visão para as infinitas possibilidades que existem nesse processo tão estruturante da formação do indivíduo, como se houvesse um único caminho que garantisse o laço entre a família e a criança.

É fundamental termos consciência de que o vínculo se constrói de diferentes formas e em diferentes tempos e que, ao longo de toda a vida, vamos passar por processos de ruptura e reparação com nossos filhos. Vamos errar, mas podemos sempre refazer. Basta estarmos emocionalmente disponíveis. Essa disposição será sempre a medida da força do vínculo que criamos com os nossos. E o mais bonito disso é que o amor que nossos filhos sentem por nós garante que a gente possa sempre reconstruir o que nós mesmos quebramos.

Criar conexão é apostar na força do afeto como pilar sólido do desenvolvimento emocional e cognitivo. Um bebê tem ferramentas práticas para garantir a atenção dos pais e a conexão de que ele precisa para sobreviver. O choro e o grito comunicam desconfortos e necessidades mais urgentes, e os cuidadores devem ser capazes de atendê-los despreocupadamente, porque colo nunca é demais e porque um bebê, por sua incapacidade cognitiva, jamais será capaz de manipular um adulto para conseguir o que quer. O cérebro dos bebês ainda não está completamente desenvolvido e o córtex frontal, responsável por pensamentos articulados, planejamentos e estratégias ainda está em formação.

Mas e quando as crianças ficam maiores? Que instrumentos elas utilizam para demonstrar suas inquietudes? Se você respondeu choro e grito, acertou. Não são só os bebês que utilizam essas armas. O que acontece é que, à medida que as crianças crescem, essas formas de demonstrar as emoções se tornam menos socialmente aceitas e, com isso, os espaços do nosso sentir vão sendo restringidos. A criança é contida o tempo todo, e ninguém aponta um novo caminho, só diz que não pode chorar.

Autorizar o sentir do outro é algo que nos desconcerta. E se censuramos as crianças, com os adultos é ainda pior. Um adulto demonstrando suas emoções é um incômodo, seja pela vulnerabilidade, seja pela fraqueza. Não é raro nos desculparmos por lágrimas de emoção ou de raiva, quando, na verdade, elas são a manifestação de um processo fisiológico de regulação emocional. Chorar faz bem.

No intenso processo de cuidar de um filho, os adultos demonstram sua extrema necessidade de controle e passam a racionalizar a relação com o bebê que acabou de chegar. A entrega ao novo fluxo de vida se torna uma batalha e o vínculo, uma barganha.

As crianças, sejam elas grandes ou pequenas, precisam de muito pouco de seus cuidadores. A exigência é apenas por presença, e isso é tão simples quanto desafiador. A construção da conexão acontece a partir de um desejo genuíno de estar, mas, nos tempos atuais, se torna um grande desafio, já que as distrações estão na palma da mão. Em inglês, o comportamento caracterizado por uma presença ausente dos pais, mais conectados aos seus celulares do que aos filhos, ganhou o nome de *distracted parenting* (parentalidade distraída). O adulto está ao lado, mas não está com a criança. Você já se percebeu assim?

A criação de vínculo não é estática nem depende só da mãe. Aliás, a percepção de um superpoder muitas vezes leva as mulheres a um estado de esgotamento físico e mental. Nutrir emocionalmente uma criança é função da tribo, de todos os participantes da educação desse pequeno ser. É importante, depois do processo de exterogestação e fusão, abrir espaço para que o amor de outras pessoas componha a criança como indivíduo. E é importante fazer isso sem maiores culpas.

Aliás, a culpa é uma grande inimiga do vínculo seguro e se apresenta na maternidade de forma muito contundente, em diferentes fases da vida da criança. A sensação de culpa é muitas vezes acompanhada de uma busca por compensar o que aparentemente faltou na relação entre mãe e filho. O curioso é que essa percepção de falta quase sempre se baseia em uma expectativa da mulher sobre ela mesma, em uma perfeição inatingível, que só oprime a construção da conexão. É culpa por não ter tido o parto dos sonhos, por não ter amamentado, por ter oferecido chupeta. Culpa por deixar ver tevê antes dos 2 anos, por voltar a trabalhar, por se separar, por estar em uma relação infeliz. Culpa por não ser a mãe idealizada em uma imaginação infantil, a mãe infalível. Preciso informar que essa mãe não existe e que lidar com a mãe possível é, além de mais gentil com você mesma, mais eficiente para a relação familiar.

> "Quando uma mãe confia em seu próprio julgamento, ela está em sua melhor forma."
>
> D. W. WINNICOTT

O tempo que se dedica a uma criança é importante na criação do vínculo entre ela e seus cuidadores, claro, mas não é o único fator. Pais e mães que trabalham devem buscar alternativas para se fazerem presentes. Lembro-me de uma mãe contar com orgulho sobre o marido, que, mesmo viajando muito a trabalho, dedicava os finais de semana a fazer brinquedos de caixa de papelão com os filhos, a grande diversão deles. Uma vez, a família foi chamada na escola e a diretora relatou emocionada como os filhos se referiam ao pai, contando sempre das viagens e das chegadas, e disse que percebia que, embora eles sentissem a falta do pai, a disponibilidade dele para reparar a ausência dava segurança aos meninos.

É preciso ficar atento ao culto à vida ocupada e à importância que damos às atividades que compõem o mundo adulto, mas que nos afastam da conexão com as crianças. Vale também prestar atenção à nossa relação com as distrações tecnológicas. Quando o tema é tecnologia, adoramos culpar as telas, mas precisamos admitir que o vilão somos nós e a nossa dificuldade de estabelecer limites, tanto para as crianças quanto para nós mesmos. É muito comum atribuirmos às telas a tarefa de cuidar, acalmar, regular e, principalmente, silenciar nossos filhos. Não é raro ver, durante refeições em restaurantes, por exemplo, famílias inteiras presas a seus celulares, ou bebês com tablets em suas cadeirinhas. Tudo em troca de uns minutinhos de paz, mesmo que o preço seja a desconexão. O principal resultado disso é o afastamento invisível, que faz com que crianças se desregulem emocionalmente e não percebam pais e mães como figuras de segurança; com isso, elas ficam muito mais repelentes à colaboração nas tarefas do dia a dia, além de impacientes e críticas. É um círculo vicioso que parece inofensivo, mas altera a maneira com a família se relaciona.

Ao longo do meu trabalho, percebi uma preocupação quase plástica de pais, mães, madrastas, padrastos e cuidadores em geral em relação à criação de vínculos com as crianças, como se acreditassem existir um momento ideal para esse vínculo surgir ou desejassem um passo a passo para não errar. A grande ironia é que vínculos fortes e seguros são criados principalmente na travessia de momentos desafiadores. Férias de verão e idas ao parque preenchem nossas memórias, mas a sensação de estar seguro, de ser percebido, amado e cuidado vem quando o coração bambeia, acelera e quase sai da boca. Vem colada ao medo, à inadequação e à insegurança. O vínculo é o resgate dessas sensações, e o grande desafio para os adultos é estabelecer uma relação de confiança no dia a dia, tão cheio de atropelos, contas para pagar, cansaço e exaustão mental.

o grande desafio para os adultos é estabelecer uma relação de confiança no dia a dia

É na mentira, nas brigas entre os irmãos, no choro sem razão, na dor não percebida que a nossa capacidade de falar e acolher a criança é desafiada. E para realizá-la precisamos ter um olhar atento para a verdade da criança. Precisamos percebê-la como ser em formação e mestre sem razão. Indivíduo com muitas necessidades e com demandas emocionais desconexas e autocentradas. Quando somos capazes de, nesses momentos difíceis, apontar caminhos para nossos filhos, aí a conexão se estabelece e a relação ganha mais intimidade. Se você pensar nos vínculos formados na vida adulta, vai conseguir fazer esse mesmo paralelo e ver que pessoas desconhecidas, quando nos ofertam colo em um momento difícil, jamais são esquecidas e ganham em nossa vida um significado especial.

A palavra "acolhimento" entrou no meu vocabulário há pouco tempo. Quando comecei a estudar sobre parentalidade, existia um estranhamento e muitas dúvidas. Será que como mãe esse acolhimento não seria algo natural? Não é isso o que fazem pais e mães amorosos?

Mas a verdade é que acolher é uma arte, um movimento voluntário, uma escolha diária.

Na dinâmica com as crianças, temos medo desse acolher, de ele se transformar em "ser mole". Conforme as crianças demonstram a necessidade de serem acolhidas, nossas feridas e dores podem ficar expostas, já que muitas vezes tivemos esse direito negado. E aí, como agir?

Além disso, com tantos desafios emocionalmente desgastantes, o acolher se transforma em uma moeda de troca, porque nós, adultos, também estamos precisando de colo.

Quando escolhemos acolher nossos filhos, precisamos ter claro que isso não significa que vamos fazer o que eles querem. Acolher é a capacidade de amar mesmo quando se erra. É ocupar o lugar de adulto e, mesmo com nossas faltas, amparar nossas crianças para que elas se sintam seguras no processo de refazer os caminhos.

Acolher é oferecer uma margem segura, baseada em afeto.

Você tem conseguido acolher?

E como faz para se acolher também?

Pensar em vínculo nos gera uma ambivalência, pois é verdade que, apesar de uma criação autoritária ou permissiva, nos sentimos ligados a nossos pais e mães. Entretanto, à medida que examinamos a relação com eles, podemos encontrar vínculos carregados de culpa, uma enorme sensação de dívida ou ainda a certeza de que nossa expressão autêntica não caberia na família em que crescemos. Aqueles colos, com o passar do tempo, se tornam espinhosos e duros, e mal sentimos que pertencemos a eles.

No olhar sobre o vínculo que estamos buscando aqui, a conexão é verdadeira, leve, carregada de afeto, mesmo nos erros, porque ela se estabelece no cuidado das minhas expectativas em relação à criança, de forma que aceito integralmente quem ela é.

Nos acostumamos a varrer dores familiares para debaixo de nosso tapete emocional. Quantos de nós nos sentimos obrigados a estar ao lado da família mesmo quando há muitas pequenas violências, questões não ditas, tantas dores e opressões? Assim funciona o vínculo da culpa, que se manifesta na obrigação, e não no prazer ou na confiança. Percebo que as novas gerações se sentem menos obrigadas nesse sentido, que esse sentimento de obrigação já não faz parte de seu repertório social. Nesse aspecto, nossos filhos são mais livres do que nós. Isso torna mais importante na jornada parental a construção de um vínculo saudável e baseado na confiança. E aí entra algo fundamental, que é o conceito de amor incondicional.

Você sente que ama incondicionalmente o seu filho?

O que isso significa?

O amor incondicional é uma ideia bonita que habita nossas fantasias maternas e paternas. Mas a verdade é que estamos longe de viver esse conceito. Amar incondicionalmente exige atenção, intenção e esforço para olhar e compreender quem realmente são nossos filhos. E nesse processo o ego e as idealizações tomam conta de nós. É mais fácil amar a ideia que eu tenho de um filho do que o filho que se apresenta diante de mim. É mais fácil amar a fantasia do filho perfeito do que encarar o fato de que o perfeito não existe. O amor é condicionado o tempo todo, e nem percebemos. Condicionamos o amor ao bom comportamento, às boas notas, ao pedido de desculpa forçado, ao beijo na tia quase desconhecida. Condicionamos o amor quando exigimos que o filho atenda à nossa expectativa, àquilo que idealizamos, que ele se encaixe no papel que fantasiamos. Condicionamos o amor quando dizemos que o pai ficou muito triste por algo que o filho fez ou que a mãe está chateada porque a filha disse que não queria fazer a lição.

E fazemos isso porque é difícil de fato permitir a existência do outro como ele é. Permitir a expressão das emoções dos nossos filhos é algo que ainda estamos aprendendo.

Autorizar o sentir é doloroso.

Amparar a formação de alguém e sua liberdade é um aprendizado que exige coragem.

A ilusão do amor incondicional pelos filhos é poderosa. Acreditamos nela, e assim, quando sentimos raiva, vontade de nos afastar ou de sumir – porque somos humanos –, parece que estamos cometendo um erro fatal, ou melhor, um pecado mortal e a culpa se instala em nós. Estar realmente disposto a amar quem nos provoca dor e raiva, quem joga na nossa cara todas as sombras tão bem escondidas ao longo do tempo, não é tarefa fácil.

Amamos aquilo ou aquele que atende aos nossos desejos e expectativas, que não nos frustra. Amamos o que achamos belo, o que admiramos. E temos milimetricamente definido em nosso coração o que é ser bom, o que é certo, o que pode e o que não pode.

Mas aí vem o filho. Um espírito livre, desbravador. Querendo conhecer este mundo, explorar os sentidos, existir. E a gente não dá espaço.

Não permite. Não deixa. Tem que ficar quieto, tem que dormir, tem que mamar vorazmente e, quando chegar a hora, tem que comer toda a comida. Tem que falar baixo, obedecer, tirar boas notas, jogar bem, dançar melhor. Tem que ser bom em alguma coisa, tem que escolher a profissão correta. Tem que ter amigos, tem que emprestar. Tem que ser empático, cuidadoso, bondoso. E ainda queremos que o amor floresça nesse quadradinho que delimitamos, que se torne grande e dure para sempre.

Mas não existe amor sem espaço para o erro.

Se você deseja amar incondicionalmente o seu filho, permita que ele seja. Permita que ele erre. Permita que seu filho não atenda às suas expectativas, que não sinta que te deve alguma coisa. Permita que ele escolha, e permita-se acolher. Deixe ir. Aceite.

O melhor dessa postura é que, ao mesmo tempo que proporciona ao seu filho a liberdade para que ele seja quem é, você está cuidando da sua criança interior que até aqui viveu para o outro, para atender à expectativa e aos desejos de alguém. Só conseguimos isso quando escolhemos cuidar do ego e viver o real significado da compaixão e da empatia.

> " A compaixão não é um relacionamento entre aquele que cura e o ferido. É um relacionamento entre iguais. Somente quando conhecemos bem a nossa própria escuridão, podemos estar presentes nas trevas dos outros. A compaixão se torna real quando reconhecemos a humanidade que compartilhamos. "
>
> PEMA CHÖDRÖN

A compaixão demanda que reconheçamos a dor do outro. No entanto, quando os filhos exigem a nossa compaixão, somos atraídos para outro lugar, acessamos feridas emocionais profundas e endurecemos, reagimos com violência. É como se também quiséssemos que alguém cuidasse dos nossos sentimentos, nos desse colo e fizesse todas as nossas frustrações irem embora. Nos tornamos crianças junto com nossos filhos; nos inserimos numa disputa para ver quem grita mais alto. Você consegue lembrar de alguma situação desafiadora com seu filho em que você também se tornou uma criança?

A compaixão também prevê a delimitação clara de até onde você vai e até onde permite que o outro vá. Não é sobre ceder ou ser bonzinho com quem nos fere; pelo contrário, é sobre ter certeza do que pode oferecer, de que pode ajudar, porque não se sente invadido, invalidado. E sobretudo se conhecer profundamente. Você conhece seus limites? Sabe delimitá-los?

Crescer com um senso de pertencimento e vínculo nos faz chegar à vida adulta mais conscientes dos nossos contornos, das nossas capacidades e potencialidades. Uma criança que não duvida do amor de seus pais, que entende que seus comportamentos não definem sua essência, carrega uma mala secreta de fortalezas emocionais e, com isso, ela se arrisca, se mostra, se constrói.

O vínculo seguro, aquele em que o afastamento do cuidador não simboliza ameaça, abre espaço para o entendimento de quem a criança é para além do pai e da mãe. É uma certeza intrínseca de que o mundo é um lugar possível, bom. E de que ela é capaz de explorar, porque tem o que há de mais valioso: o senso de fazer parte. E isso é passaporte para ir e voltar, é asa que a permite voar.

Fala-se em desenvolvimento da autoestima da criança, mas ele só é possível quando existe a capacidade de reconhecer o seu valor interno ou a sua estima. Ninguém pode dar autoestima para o outro, mas aos cuidadores cabe orientar a criança na elaboração dessa percepção de si mesma. Quando falamos em autoestima, fazemos uma associação direta com algo externo e estético. Mas autoestima não tem nada a ver com beleza. Está ligada, sim, a uma percepção sobre a capacidade de realizar e de narrar as conquistas. Está ligada à noção de merecimento e, principalmente, a um conforto em existir. Um senso de valor ligado a quem eu sou.

E como se aprende algo tão íntimo, tão estruturante?

Aprendemos sobre autoestima quando, na infância, não nos sentimos obrigados a atender aos desejos e às expectativas dos outros. A criança aprende sobre autoestima quando recebe autorização para ser quem ela é e não precisa se encaixar em nenhum padrão social. Cultivamos a autoestima das nossas crianças quando entendemos que elas são maiores do que seus comportamentos, quando não rotulamos e não comparamos.

Dez entre dez pais, quando pensam nas habilidades emocionais que desejam que os filhos desenvolvam no futuro, falam em empatia. A mesma palavra aparece na lista daquilo que falta nesses mesmos filhos hoje. Ah, as nossas projeções...

Empatia, resiliência, sororidade, autoestima, feminismo e tantos outros conceitos que vemos pipocar nas nossas timelines fazem parte, na verdade, de nossas pautas pessoais, e, cá entre nós, sofremos um bocado para colocá-los em prática. Estamos aprendendo a praticar todas essas coisas e ainda levamos umas belas rasteiras de vez em quando. Somos seletivos na nossa empatia, na nossa resiliência, na nossa sororidade, na autoestima e também no feminismo. Estamos entendendo como trilhar caminhos mais justos e éticos, mas esbarramos em nosso preconceito e prejulgamento. Não nos ouvimos e assim seguimos. Fazemos isso entre nós adultos e também com as crianças. As nossas e as do mundo.

Você quer mesmo que seu filho seja essa pessoa inteira emocionalmente, que olhe para o outro com compaixão, com respeito? Comece respeitando-o e se respeitando na relação com ele, entendendo que seu filho habita um novo tempo e que não adianta querer fazer o que sua mãe ou seu pai fizeram com você. É tempo de reaprender. É tempo de se humanizar.

Dar autonomia à criança e ajudá-la a se perceber capaz é um treinamento que exige da gente alguns passos. O filósofo Immanuel Kant dizia que "para alguém se tornar autônomo e crítico, é preciso sair da família e ir para o espaço público, para o outro, para o mundo. Ou simplesmente para aquilo que é diferente dela". E isso começa com a gente entendendo que dar espaço para as crianças, conduzi-las para que elas descubram seu potencial e suas capacidades, é um gesto de amor.

PRECISAMOS FALAR SOBRE CONTROLE E AUTONOMIA

Quando se fala em autonomia da criança, é comum que cuidadores achem que existe um momento certo para iniciar o processo de desenvolvê-la, como se dar espaço para o outro existir só fosse possível após um marco claro legitimado por pesquisas científicas. Incertezas e inseguranças se agigantam dentro do coração de pais e mães que sentem que a sua grande missão é proteger o filho pois, para eles, a autonomia seria a antítese disso, mas não é.

A médica húngara Emmi Pikler foi uma das primeiras profissionais a falar sobre isso, ainda no início do século XIX. Em seus estudos, com crianças menores de 3 anos, ela percebeu a importância dos movimentos e da autonomia dos bebês para o seu pleno desenvolvimento motor e psíquico. Um dos pilares da abordagem de Pikler é a noção de que a hora do cuidado com a criança é também um momento de aprendizado para ela e que atividades como dar de mamar e trocar fraldas devem ser feitas *com* o bebê, e não *para* ele. Se entendemos essa diferença, colocamos o filho como indivíduo que faz parte, que tem vontades e desejos, e não como alguém que é invisibilizado pela presença do adulto.

Aliás, temos, de maneira geral, muita dificuldade de ver nossos filhos como indivíduos. Seja por medo, seja por necessidade de controle, agimos no piloto automático com as crianças, não permitindo seu pleno crescimento e desenvolvimento emocional. Alimentamos uma dinâmica na qual as mães, principalmente, se veem como muito necessárias para a criança, cerceando o espaço necessário para esta se perceber capaz, uma vez que tem sempre um cuidador cheio de amor para dar e que é mais apto e mais ágil. Não confiamos que aquele pequeno é capaz de se sentir à vontade em sua própria pele. É importante tomar consciência da percepção que temos de nossos filhos, porque ela pode dizer muito mais sobre as nossas necessidades do que sobre as da criança.

Lembro-me de, certa vez, receber em casa um coleguinha das minhas filhas, de 9 anos. Ele me pediu ajuda para limpar o bumbum. Eu fui até o banheiro e disse que tinha certeza de que ele era capaz de fazer aquilo sozinho. Ele não acreditou que eu estivesse me negando a ajudá-lo, mas, conforme eu o encorajava a se limpar, ele foi percebendo que sabia fazer aquilo. E fez. Não conheço a dinâmica na casa dessa criança, mas sei que muitos cuidadores, na pressa de fazer, esquecem de investir tempo em ensinar. O resultado são crianças com uma enorme dependência dos adultos para se sentirem capazes.

Uma boa mãe e um bom pai precisam saber se tornar desnecessários, o que não significa desimportantes. Ser desnecessário é ser capaz de enxergar as potencialidades do outro e abrir os caminhos para a luz desse outro brilhar, se expandir. De assistir ao crescimento sem impedir as quedas e oferecer a mão para levantar do chão. Ser desnecessário é entender que o filho não é um servo da expectativa parental e que a relação com ele precisa constantemente ganhar novos espaços e contornos. É acolher a existência do filho e libertá-lo para que ele seja o que desejar.

A maternidade não garante nenhuma medalha no final. Mas isso não importa, porque, mais importante do que ser vista como boa mãe, é ser vista como uma pessoa que se ama profundamente. Tanto que consegue se enxergar e só assim é percebida.

Que cada uma de nós seja capaz de reescrever as histórias maternas que vemos e ouvimos. Que cada uma consiga interromper o ciclo de invisibilidade ao dar um passo para fora dessa estrada que não foi pavimentada por nós.

A mãe-mártir é aquela que está esgotada de fazer tudo sozinha, mas que mesmo assim não consegue abrir mão do seu posto, porque precisa ser reconhecida exatamente por fazer tudo por todo mundo, por se sacrificar. Uma mãe-mártir geralmente vem de uma linhagem de mulheres-mártires na qual sacrifício é sinônimo de amor, na qual sacrifício é a própria definição de maternidade.

A mãe que se sacrifica espera o reconhecimento, por isso estabelece uma relação de dívida com suas crianças. Ela deixa a jornada pesada e vai acumulando frustrações, expectativas não atendidas. Vai se distanciando de quem ela é até não reconhecer a figura no espelho e se agarrar com unhas e dentes às suas mágoas.

Mas o grande problema mesmo de ser essa mãe é que as meninas estão vendo e estão aprendendo que esse comportamento é o que define uma mãe, uma esposa, uma mulher. Educar garotas para que elas aprendam que não precisam pedir ajuda é repassar o peso de uma vida solitária para quem pode romper com esse ciclo. Quando não conseguimos dar conta de tudo, não provamos com isso que somos fracas; pelo contrário: mostramos que somos emocionalmente inteligentes, porque reconhecemos nossos limites.

Em pleno século XXI, associamos obediência a respeito e travamos batalhas familiares para que a criança siga um roteiro que só existe na cabeça do adulto. Nesse roteiro, as respostas precisam ser imediatas e atendem apenas ao desejo dos pais de ter suas ordens acolhidas. Ao criar filhos para a obediência, os cuidadores mantêm uma rédea curta, que coloca as crianças sempre num lugar inferior, de menor valor e de menor estima.

QUEM OBEDECE SILENCIA

A idealização do filho obediente fala muito sobre os medos dos pais. Quando pensamos em obediência, não pensamos em educação, em responsabilidade, muito menos em autonomia da criança. Queremos uma resposta (rápida) à nossa necessidade de controle, de estar certos. E a possibilidade de ter um filho que não siga essa ordem das coisas é assustadora. Mas a verdade é que obediência não gera competência. Será mesmo que você deseja que seu garoto se torne um homem obediente? Ou que sua menina seja uma mulher que simplesmente obedeça?

A noção de obediência que carregamos está associada ao respeito, mas, olhando-a com profundidade, só vamos encontrar medo. Medo de não ser ouvido, medo de não ter as vontades atendidas, medo de que não façam o que queremos, do jeito que queremos, na hora que queremos. Entretanto, a obediência gera um adulto com lócus de controle externo muito mais desenvolvido do que o lócus de controle interno, e que precisa sempre que o outro valide o que ele faz e até o que sente.

Lócus de controle é um conceito que foi apresentado pelo psicólogo americano Julian Rotter em 1966 em seu artigo "Psychological

Monographs" e se refere ao lugar em que acreditamos que reside a nossa responsabilidade sobre o que vivemos. A tendência de comportamento muda ao longo da vida, mas o indivíduo apresenta uma predominância em momentos importantes.

A pessoa que apresenta um lócus de controle externo aflorado é sempre uma vítima dos acontecimentos e tem dificuldade em se responsabilizar. Já o lócus de controle interno, quando desenvolvido, dá ao indivíduo uma maior dimensão da sua responsabilidade sobre desejos e acontecimentos. Estudos apontam que pessoas com maior lócus de controle interno têm mais saúde física e emocional, são mais sociáveis e apresentam autoestima mais elevada. E o que isso tem a ver com obediência?

Crianças obedientes aprendem que brigar por suas vontades é algo ruim ou motivo de vergonha. O olhar controlador do pai ou da mãe molda o seu sentir, e a sua noção de valor é associada à capacidade de atender ao outro. O que a criança pensa não é levado em consideração, não tem espaço. Ao crescer com essa verdade sobre si, a pessoa se torna um adulto dormente, inconsciente de sua força, de seu poder de transformação pessoal.

Quando as crianças são pequenas, é fácil domar seus instintos mais primitivos e fazê-las obedecer. O tamanho do adulto e o tom de sua voz assustam a criança, que passa a cultivar o desejo por liberdade, que eventualmente se realizará de forma descontrolada ou totalmente dissimulada, mas que, de qualquer forma, será vivida, porque é impossível aprisionar uma ideia, e pessoas são ideias que acontecem o tempo todo.

Não deseje filhos obedientes. Não silencie suas filhas por causa de seus próprios medos. Não queira que eles simplesmente sigam regras, sem questioná-las. Em vez disso, construa colaboração. Na colaboração, existe a participação, existe a troca, e o entendimento da importância de despertá-la na relação com as crianças é gratificante. A criança entende e faz. Percebe e aprende. Simplesmente porque se sente parte, se sente respeitada.

Ao abrir mão da obediência, abrimos mão da necessidade de controle, e esse é um passo importante na criação de uma relação respeitosa, focada no processo, em que todos são aprendizes e os cuidadores se veem como contorno que abraça e acompanha, e não como barreira que impede e faz morrer.

5

A anatomia
da dor

Tem dias em que você abre os olhos e já é atropelada por um desconforto no peito. Uma irritação, um mau humor, uma raiva sem explicação — mas com muita razão. A lista nunca é pequena: um filho que acorda gritando, uma briga entre irmãos antes das sete e meia da manhã, o café que acabou e você se esqueceu de comprar, o copo que quebrou, o suco que derramou, a louça que não foi lavada, o marido que não tirou a roupa da máquina. Existe um peso no ar e um grito preso na garganta. A culpa é da rotina, da relação que já estava desgastada, de qualquer um que cruzar o seu caminho. Nos agarramos a motivos banais para não olhar com profundidade para o que tem ali. É verdade, também, que tem horas em que não dá mesmo para fazer mergulhos na consciência e nesses momentos se manter dormente pode ser uma solução. Só precisamos lembrar que a conta chega e que quem paga somos nós.

Pela dificuldade de olhar com atenção e enxergar com clareza, acabamos caindo numa busca frenética por consertar os comportamentos, colocando curativos nas feridas acreditando que assim a dor vai passar. Diante de crianças que se comportam mal, a gente luta para acabar com o gesto, a atitude, sem cuidar da razão, assim como fazemos com as nossas emoções. Ficamos no "quê", quando deveríamos buscar o "por quê". Perceba a mudança:

O que fazer se meu filho está mordendo?
Por que meu filho está mordendo?

O que fazer com meu filho que não está dormindo?
Por que ele não está dormindo?

O que fazer para meu filho parar de mentir?
Por que meu filho está mentindo?

O que fazer com a ansiedade da minha filha?
Por que minha filha está ansiosa?

Nessa jornada em busca das melhores perguntas, a melhor de todas é: como eu me sinto? Entender e acolher as causas de nossos sentimentos é o melhor caminho para atravessar as emoções. Mesmo que as respostas sejam duras, difíceis, é preciso continuar se perguntando. Chegar na causa pode ser mais complicado ou menos imediato, mas é transformador – simplesmente porque nos responsabilizamos.

Ao conhecer e reconhecer nossas dores, nos deparamos com uma imagem de nós mesmos que não é pautada por projeções. A dor nos releva de forma profunda, nos escancara. E assim, diante do espelho, temos a inigualável chance de sermos honestas e honestos com nós mesmos; de perceber cada detalhe da construção que nos trouxe até aqui.

———〜———

Não fomos ensinados a sentir, e isso nos causa um enorme problema quando nos tornamos pais, mães, padrastos, madrastas, enfim, cuidadores. As crianças nos convidam a habitar o espaço da presença e da emoção, sem qualquer tipo de roteiro. Na relação com elas, não existe alternativa senão sentir. E diante desse convite, hesitamos, porque muitas vezes ele significa algo difícil e doloroso. Não sabemos acolher porque não fomos acolhidos. Não sabemos validar porque não nos validamos. Sem perceber, esvaziamos a relação de significados ao nos colocarmos simplesmente como excelentes fazedores de coisas: levamos, buscamos, arrumamos, alimentamos, mas, na hora de estar e de sentir, nos atrapalhamos e não valorizamos o momento.

Somos sobreviventes de modelos parentais regidos pela inconsciência, nos quais o papel da criança era servir e agradar. Neles, não havia ninguém interessado em saber ou entender como as crianças se sentiam, o que se passava em seu coração. Crescemos sem cuidar das emoções, parte tão estruturante de quem somos como indivíduos e hoje estamos todas e todos em busca de mais inteligência emocional ou, de forma prática, tentando aprender a lidar com o que sentimos.

Queremos entender mais sobre nossas emoções e sobre como cuidar delas para então cuidar melhor dos nossos filhos. O que logo fica claro é que, uma vez que essa lacuna é trazida desde a infância, o adulto tem um trabalho duro pela frente tanto para recuperar o que lhe falta quanto para oferecer o que precisa à criança que o acompanha.

No século XIX, em seus primeiros estudos sobre a evolução da espécie, Charles Darwin citou a importância das emoções, comprovando que esse não é um assunto da moda e sim, algo fundamental para a nossa existência. Darwin deixava claro que a expressão emocional era um fator importante para a adaptação e sobrevivência das espécies. Nos anos 1980, esse assunto voltou com força dentro das universidades americanas e, em 1990, o conceito de inteligência emocional se popularizou. Obras sobre o tema invadiram as prateleiras das livrarias.

Hoje entendemos que, independentemente da conotação e aplicação do conceito, falar sobre inteligência emocional nos ajuda a escolher melhores caminhos, inclusive na criação dos filhos. Uma vez que conseguimos compreender o que sentimos e como agimos, temos chances de ajudar nossos filhos a fazerem o mesmo. Na prática, seu filho está fazendo um convite irrecusável para que você mergulhe sem medo e sem vergonha nas suas próprias emoções. Um convite para que você cuide dos espaços em branco da sua infância, para que entenda que nenhuma emoção o define e que a busca por moralizar a raiva, a inveja, o ciúmes ou qualquer outro sentimento que o atravesse não faz de você mais forte ou mais fraco, melhor ou pior. Quando a criança tem, através do olhar amoroso de seus cuidadores, a chance de aprender sobre isso, ela se percebe humana e, assim, se mantém fiel à sua força interior.

Aprendemos e acreditamos logo cedo que existem emoções boas, que podem e devem ser sentidas, e emoções ruins, que precisam ser escondidas. Essa verdade está tão consolidada em nosso inconsciente que uma criança que expressa o que sente gera desconforto em seus pais, que não sabem o que fazer diante de raivas, medos e inseguranças explicitadas. Há uma busca por um manual de conduta sobre o que fazer, quando na verdade só é preciso sentir.

Medo

Todos nós sentimos medo, mas na vida adulta esses temores se tornam rebuscados. Temos medo de arriscar, medo das mudanças, medo de ser feliz. E aí, diante dos medos que assombram nossos filhos, típicos da infância, como o medo do escuro, das criaturas que moram debaixo da cama ou de subir na árvore até chegar àquele galho mais alto, não sentimos qualquer empatia. Queremos que as crianças enfrentem essas situações, sejam corajosas e lhes dizemos: "Que besteira, monstros não existem!". Medo é a emoção que nos acompanha na maior parte da vida. De todos os medos (da morte, da perda, da dor, do desconhecido), adultos e crianças compartilham o maior deles, ainda que não saibam: o da rejeição, ou seja, de não ser amado, de ser criticado, de ser abandonado, de não ser aceito. O medo molda nosso comportamento e a forma como nos relacionamos com o mundo. Existem aqueles reais, ou conscientes, e aqueles irreais, ou inconscientes; estes últimos são criados por nossa mente e nos impedem de explorar todo o nosso potencial.

O medo real é agente protetor e nos resguarda de perigos e riscos. Quando somos confrontados com situações arriscadas, ele nos faz reagir.

Já o medo irreal desperta a insegurança e nos mantém presos, ou nos paralisa diante de oportunidades que nos levam a encarar o desconhecido, fazendo com que desistamos dos nossos sonhos.

O medo nos faz olhar o mundo com desconfiança.

Do que você tem medo?

É um medo real ou irreal?

Como você tem cuidado dessa emoção?

Raiva

Gosto de fazer a analogia da raiva com o fogo. O fogo tanto nos aquece do frio quanto pode provocar queimaduras e incêndios. Podemos nos sentar em volta do fogo ou podemos espalhar a brasa. Fazer um ou outro é sempre uma escolha.

Na infância, aprendemos que não devemos demonstrar a raiva que sentimos, que temos de controlá-la e isso é muito forte na criação de meninas, que ainda vivem sob a perspectiva de serem boas, educadas, de fala baixa. Crescer ouvindo sobre a inadequação dessa emoção nos faz acreditar que, ao demonstrá-la, a raiva não pode ser grande, mas, sim, ela deve ser contida. Quando demonstramos nossa raiva, corremos o risco de não sermos amadas.

Reprimir a raiva e ignorar a sua força faz com que ela encontre esconderijos dentro de nós e rotas de fuga que nem imaginamos. Se ela é reprimida e se esconde, em algum momento vai ter de sair, e esse extravasamento pode ter a forma de distúrbios emocionais severos.

Quando aceitamos a raiva e encontramos caminhos para expressá-la, passamos a ter a consciência de que não precisamos ser tomados por ela.

Não é porque estamos com raiva que precisamos machucar nem a nós nem aos outros. Quando deixamos a raiva nos dominar e se manifestar por meio da agressividade, estamos agindo de forma primitiva.

A raiva é também impulso para mudanças e contém uma energia de transformação quando sabemos usá-la.

O que te deixa com raiva?

Como você geralmente demonstra essa emoção?

Tristeza

Ficamos tristes quando nos deparamos com nossas fragilidades. A tristeza rouba nossa energia. É comum as pessoas quererem esconder a tristeza ou não dar espaço para ela, como se assim fosse possível escapar da dor, do sentir.

"Não fique triste", "Não chore" e "Levante a cabeça" são frases de repressão da dor. A mensagem que elas transmitem é que esse sentimento não vale a pena ser sentido e que ele precisa passar logo. Depois de uma vida inteira ouvindo isso, a gente não aprende a se perceber triste nem a lidar com a tristeza. No entanto, é essa emoção que nos faz assimilar as perdas, dores e frustrações, ou seja, a tristeza é fundamental num processo saudável de autorregulação emocional.

A superação da tristeza nos coloca em um lugar de serenidade e de paz espiritual, além de crescimento emocional.

O recolhimento que a tristeza pede é o mecanismo do corpo e da mente para processar informações de perda e reunir forças para reconstruir o que se quebrou. Nesse processo, o choro é fundamental; é uma resposta do corpo aos incômodos, assim como um jeito de regular as emoções.

Tem choro que me pega de jeito, ativa os botões do "deixa disso" e preciso cuidar para não atropelar. A criança que deixa de se expressar emocionalmente para agradar se perde de si mesma e isso eu sei que não quero para as minhas. Tenho aprendido ao longo da minha jornada como mãe a dar espaço para as emoções, ainda que seja mais dura. Mas todas as vezes que autorizo o sentir dos meus filhos, me autorizo a largar alguns pesos também. É um processo bonito de resgate e cuidado deles comigo e meu com eles. Sinto que tenho chorado mais e isso é libertador.

A tristeza profunda pode se transformar em depressão, e aí o corpo precisa de outros recursos, às vezes medicamentosos, para recuperar o seu movimento.

A tristeza é a caverna necessária para transformações profundas na percepção da vida.

O que te deixa triste?

Como você deixa esse sentimento passar?

Alegria

A alegria é uma emoção amenizadora. É um sentimento positivo que torna a vida agradável e equilibra experiências de frustração, desilusão e dor. Esse estado emocional permite a preservação do bem-estar psicológico em meio a acontecimentos estressantes.

É engraçado notar que, de vez em quando, a gente quer controlar pela razão até mesmo esse sentimento tão bom e tão importante para o corpo, como se expressar alegria demais fosse ruim, fosse nos causar alguma dor na sequência. Existem pessoas que têm medo de se sentir felizes – medo, na verdade, do momento em que a alegria vai acabar. Assim, por medo da luz, vivem na inércia e na sombra.

Esse é um jeito de se sabotar e de não se entregar à vida com a coragem que ela nos pede.

A alegria é o combustível para uma vida de movimentos.

Você tem medo da sua alegria?

No seu dia a dia, onde você se encontra com essa emoção?

Amor

De tão poderoso e forte que é o amor, ele tem um hormônio exclusivo, presente em nós desde o nascimento: a ocitocina. O poder da ocitocina é transformador, e a gente tem cuidado pouco dele. Abraços, beijos, carinhos, demonstrações de amor são formas de cura, embora a gente insista em acreditar que se aprende mais com a dor.

Pesquisas indicam que as nossas ondas cerebrais mudam quando recebemos amor. Sim, nosso corpo percebe amor por meio do toque, do olhar, do tom de voz, da atenção plena, das palavras e também das ações.

O amor é a nossa busca constante porque ele nos melhora.

Você tem demonstrado seu amor?

Você tem recebido amor?

Você tem comunicado isso?

Em alguns momentos da caminhada para validar suas emoções, você poderá se sentir solitário. As discussões sobre esse assunto são recentes, e poucos de nós viemos de famílias em que havia espaço para o diálogo sobre o que cada um estava sentindo. Nem na escola existia esse interesse pela composição emocional das crianças, e assim chegamos à vida adulta tentando juntar as peças de um quebra-cabeça para estabelecer relações mais equilibradas com a gente e com os nossos. Podemos dizer que nos falta repertório emocional tanto para cuidar do que a gente sente como para perceber o que os outros sentem, cujo principal resultado é uma não

estamos sempre buscando culpados por nossas dores, insatisfações e infelicidades

responsabilização por nossas emoções. Estamos sempre buscando culpados por nossas dores, insatisfações e infelicidades, do mesmo jeito que tentamos encontrar responsáveis por nossa felicidade. Esse modo de agir, sempre entregando a outra pessoa uma parte muito importante de quem somos, significa que não temos as rédeas da própria vida.

É muito comum ouvir dos pais e mães que eu atendo que os filhos os levam ao limite da paciência. Ou que, se os filhos fossem mais obedientes, eles gritariam menos e seriam mais amorosos. Essa fala é carregada de dor. Espera-se que o outro seja bom para só assim responder da mesma forma. Atribuir a uma criança a capacidade de detonar as emoções do adulto é perpetuar um sistema opressor, no qual o maior ou o mais forte se autoriza a silenciar o menor, o mais fraco. Seu filho, por mais gatilhos que ative, não pode carregar as culpas e dores da sua falta de controle emocional. Perceber-se nesse movimento é encarar o fato de que você não aprendeu a se responsabilizar pelo que fazia ou pelo que sentia. Talvez o castigo tenha sido amplamente utilizado em sua infância, e agora na vida adulta é como se ainda fosse importante buscar pessoas para culpar por seu comportamento. Não é o que o nosso filho faz que nos tira o equilíbrio. *É o que fizeram com a gente.*

Você percebe que responsabiliza o outro pela forma como se sente? Busca culpados para suas angústias, raivas e frustrações? Por que você acha que isso acontece? Uma dica: não pare na primeira resposta que lhe vier, mas se aprofunde nas suas memórias para resgatar a verdadeira razão de você sentir o que sente – e agir da maneira que age.

Todos nós temos nossa bagagem emocional e carregamos malas, algumas pesadas, outras nem tanto. Mas elas seguem com a gente e, para que não sejam fardos (e sim histórias), não podemos ter medo de abri-las para olhar o que tem dentro. Cercados por nossas crianças, abrimos espaço para a elaboração dessas emoções ao praticar a escuta e o acolhimento. Podemos validar as emoções das crianças, ajudando-as a entender que elas não são o que sentem e, nesse movimento, cuidar dessas percepções em nós mesmos. Ninguém é raivoso, triste, ansioso ou feliz o tempo todo. Tudo isso são partes do que sentimos, mas que não nos definem.

POR QUE É IMPORTANTE CUIDAR DAS EMOÇÕES?

Cuidar do que sentimos é parte importante do processo de crescer. Uma vez que na nossa infância pais e mães não eram tradutores das emoções das crianças, crescemos acreditando que certos sentimentos eram assustadores, que enfraqueciam o caráter e por isso deviam ser abafados, dominados, escondidos do lado de dentro. A vergonha pelo erro cometido, o medo da nota baixa, a ansiedade com a chegada do irmão, a raiva por não ser ouvida, a injustiça por não ser acreditada, a inadequação por não atender às expectativas, a solidão por ter pais que trabalhavam fora, tudo isso transformou a criança no adulto que não se sente merecedor de amor, que não acredita na sua capacidade de realizar, que tem medo de se entregar às relações amorosas, que não confia no seu potencial, que precisa da validação externa o tempo todo. Mas todos esses nós podem ser desatados mergulhando-se na formação das emoções e cuidando-se dos sentimentos, sem desviar a atenção. Encarar as dores

Já senti muita raiva dos meus filhos. Raiva acompanhada da vontade de esganar. Raiva acompanhada da vontade de bater. E eu nunca vou esquecer, como já falei, do dia em que essa raiva tomou forma no reflexo do olhar do meu filho mais velho. Quem já viveu algo assim sabe o gosto amargo que tem.

Sem saber direito como, naquele instante eu escolhi cuidar da minha raiva. Escolhi olhar para ela sem medo, me reconhecer nela e encarar a minha pior versão. Tive que chorar essa raiva e deixá-la me atravessar, mas sem levar nenhum pedaço.

Talvez você ache isso estranho, por dois motivos.

O primeiro diz respeito às suas expectativas sobre mim e sobre a minha maternidade ("Com essa carinha de anjo, ela não deve sentir raiva, né? Só eu, que sou uma péssima mãe, sinto essas coisas").

O segundo motivo é que a raiva materna não é autorizada. Espera-se que toda mãe seja cândida, leve, suave. A raiva do pai, mesmo que desconcertante e bruta, fica em um lugar conhecido: homens são mais violentos. São?

Somos. Todos nós carregamos a raiva dentro da gente. E ela pode ser muito importante ao longo da vida. Raiva é movimento, explosão, nos tira da inércia e da dor também. Mas essa brasa pode ser causadora de incêndios, destruir e deixar marcas.

Trabalhei e trabalho arduamente para deixar a minha raiva ter o tamanho que ela precisa ter. Leio, estudo e pratico diariamente o cuidado com ela. Ainda sinto raiva dos meus filhos de vez em quando, claro, mas ela não se parece com o ódio de antes. E eles, hoje, com uma mãe demasiadamente humana, também sabem que as suas raivas têm espaço, e juntos, com afeto e cuidado, não deixamos que elas nos assombrem.

e ausências do passado faz parte do processo de curar as memórias difíceis e viver uma vida adulta mais leve.

A porta de entrada para cuidar do que sentimos é o autoacolhimento: a capacidade de sentir-se bem na sua própria companhia, de se olhar com generosidade e compaixão, de cuidar de si mesmo. Acolher-se é se ouvir e entender que, como adulto, você tem as ferramentas necessárias para dar novos significados às suas dores e angústias. Acolher-se é dizer sim para o que você sente, sem julgamentos. É praticar o recolhimento e colocar em prática a reorganização emocional. Acolhimento é autorresponsabilidade.

acolhimento é autorresponsabilidade

Que caminhos você encontra para se acolher diante das suas emoções mais profundas?

Sempre que falo sobre acolhimento, sinto que as pessoas querem uma receita, um jeito de fazer, já que não têm essa referência. Mas acolhimento não segue roteiro nem passo a passo. O acolhimento demanda da gente também um olhar honesto para a nossa humanidade. Vamos conseguir nos acolher mais e melhor quando entendermos que somos falhos. E, ao nos apoderarmos dessa ideia, passamos a olhar para nossos filhos, nossos pares, para todos ao nosso redor, através da mesma lente: a lente do afeto. Vamos errar, vamos fazer coisas das quais não nos orgulhamos, mas precisamos aprender a seguir em paz. Acolher pode ser ouvir, pode ser abraçar, pode ser estar disponível e simplesmente escolher estar ao lado de quem precisa ser acolhido. Seja você mesmo ou qualquer outra pessoa.

Quem tem filho tem medo. Medo de que caia, medo de que se engasgue, medo de que se machuque. Medo de sofrer, medo de se frustrar, medo de deixar voar. Temos medo do que é e do que vai ser. Medo do que vemos e do que sentimos. Medo do que eles sentem e do que eles veem. Temos medos reais e imaginários, medos do presente, do futuro e, às vezes, do passado. Temos medo da violência, de altura, de bicho, de vírus. Medo do presidente. Medo de a criança não ser feliz, não se encontrar, não ter amigos, não achar um amor. Medo do que pode acontecer e medo do que não podemos ver. E esses medos são tinhosos, não se dobram com reza nem mandinga. Não escutam o terapeuta nem a amiga. O medo parece mais forte do que o pensamento positivo, parece maior do que a vontade.

E a gente vive num cabo de guerra com esse sentimento. Ele puxa para baixo, a gente resiste para cima, em uma batalha cansativa, que drena nossa energia. Viver com medo é como caminhar com bolas de ferro presas no pé, as quais vamos arrastando até que passamos a acreditar que o peso é nosso. O medo se mistura a nós e assim vamos estreitando a visão, buscando lugares confortáveis, ainda que muito apertados, para viver e para ser. Temos que lembrar que medo é lobo em pele de cordeiro. Tem cara de proteção, mas, quando cresce, se transforma em prisão. É cruel e castrador. É violento e controlador. O medo não é uma boa companhia, deve no máximo ser visita rápida. Temos que lembrar também que, apesar de sua figura imponente, o medo é covarde e frágil. Ele não sustenta cara feia, e quem ousa levantar o olhar e encarar esse danado tem a chance de ver através dele uma realidade muito mais leve e generosa. Depois do medo, tem a possibilidade, a esperança, a luz. Você só precisa deixá-las entrar.

QUAL O NOSSO PAPEL?

A nossa trajetória como sociedade definiu papéis muito claros para homens e mulheres e, mesmo com o avançar do tempo, da tecnologia e dos novos pactos sociais, ainda vivemos sob essa divisão, que se realiza através de várias camadas, muitas delas inconscientes. As figuras da mulher como cuidadora e do homem como provedor são clichês antigos, mas ainda muito fortes nas dinâmicas que estabelecemos na vida. Sair desses papéis tem sido a grande batalha para homens e mulheres no século XXI. Ainda assim, quando olhamos para as nossas construções emocionais, percebemos o quanto temos que caminhar para nos ver de forma equânime.

Ser rotulada como cuidadora permitiu à mulher ocupar espaços de maior intimidade com outras mulheres. Através dos séculos, círculos femininos se mostraram lugares seguros e de acolhimento para conversas francas e vivências sobre fertilidade, relações e força das mulheres. De alguma forma, aprendemos a falar sobre o que sentíamos e o que vivíamos e carregamos essa memória ancestral até hoje. Isso não significa, porém, que, ao falar, nós cuidamos do que sentimos.

"Esses círculos têm como característica básica o fato de as participantes compartilharem experiências num ambiente de igualdade, acolhimento, escuta, apoio, desenvolvimento e irmandade, facilitando as transformações positivas para cada uma e para toda a sociedade.

As mulheres sempre se reuniam para cozinhar, tecer, costurar, lavar roupa, fazer cerâmica, plantar, contar histórias, tratar-se, parir, cuidar das crianças, fazer rituais etc. Mas, como a história sempre foi escrita pelos homens e focada em acontecimentos heroicos, conquistas, ganhadores e perdedores, pouco se sabe sobre o passado das mulheres e sobre o cotidiano das pessoas "comuns". Especialmente na segunda metade do século XX, a entrada de maior quantidade de pesquisadoras mulheres nos campos da história, dos estudos sociais, da psicologia, da antropologia e da arqueologia fez que essa supremacia da ótica masculina para análise dos fatos do nosso passado começasse a ser revisitada. E surgiram algumas histórias incríveis e quase desconhecidas sobre grupos femininos. "

BEATRIZ DEL PICCHIA

Já para os homens, esses grupos ou espaços de maior intimidade são um fenômeno contemporâneo e ainda tímido. De maneira geral, podemos afirmar que existe por parte deles uma resistência a se colocar de peito aberto em conversas sobre emoções, como se não fizessem parte de seus repertórios, uma vez que a masculinidade sempre esteve associada a firmeza, truculência, força e dureza.

"Homem não chora" se tornou um mantra que se introjetou na cultura, e se desfazer dessa crença exige um trabalho árduo. Como chorar é parte de um processo fisiológico de sentir, quando homens não se permitem chorar, não se permitem, logo, sentir, e assim vamos perpetuando uma verdade destruidora da humanidade dos homens.

O silêncio emocional não faz o sentimento desaparecer – pelo contrário. Se pensarmos nas emoções como rios que nos percorrem, vamos entender que toda água represada e não canalizada acaba por transbordar. E nos homens esse represamento se transforma numa máscara pesada, que eles vêm carregando há muitos séculos. Mas, finalmente, demonstram sinais de cansaço. Em 2019, a plataforma on-line Papo de homem realizou uma pesquisa que se transformou em um documentário sobre masculinidade, com recortes de classe, gênero e raça. Alguns dados impressionam:

- Os homens parecem estar se sentindo mais sozinhos e confusos: um em cada quatro homens de até 17 anos afirma se sentir solitário sempre; e 37% deles nunca conversaram com ninguém sobre o que significa ser homem.

- Ao todo, apenas três em cada dez homens possuem o hábito de conversar (sempre ou muitas vezes) sobre os seus maiores medos e dúvidas com os amigos.

- Sobre a saúde mental, a pesquisa aponta que, a cada dez homens, seis afirmam lidar hoje com distúrbios emocionais (muitos ainda não diagnosticados) em algum nível (ansiedade, depressão, insônia e vício em pornografia são os mais comuns). Apesar disso, os homens evitam buscar ajuda. Apenas um em cada dez já foi ao psicólogo.

Vamos levar muito tempo para quebrar esse ciclo, mas não vejo outro caminho senão o da vulnerabilidade, do acolhimento e do diálogo. Nossas emoções importam, e cuidar delas é cuidar da nossa saúde, das nossas relações, da maneira como nos doamos para a vida. Pensar sobre esse assunto transformará as próximas gerações de meninos, e esse compromisso social é importante para a revolução do afeto.

Diante da pergunta "Como você está se sentindo?", a gente precisa ir além do "bem" ou "mal". Precisamos aprender a expressar nossa frustração, nossa raiva, nossa dor, nossa solidão, nossa angústia, sem que isso nos envergonhe ou deixe a outra pessoa preocupada.

Ter consciência do que sentimos nos permite estabelecer uma conexão muito potente com o outro. Porque, quando entendo e acolho o que sinto, me torno capaz de entender e acolher o que o outro sente.

É importante entender que o debate sobre nossas emoções não deve ocupar um campo etéreo ou místico. É na infância que são criados os padrões emocionais que nos acompanharão na vida adulta, sim, mas, quando falamos em criança interior, não devemos nos apegar à forma de uma criança dentro da gente. Essa expressão serve para nos conectar aos eventos da infância que nos marcaram a ponto de regular a maneira como percebemos o mundo na vida adulta. E todas as sensações que carregamos sobre esse período, vale lembrar, são legítimas, porém nem sempre reais. A pessoa que, quando criança, teve uma mãe e um pai que trabalhavam fora de casa pode carregar a sensação de abandono, ainda

Escolhi alegria para ser minha palavra da semana. Pensei que precisava me permitir viver a alegria de coisas simples. Dei sorte e na sequência encontrei Joaquim, que me presenteou com alguma coisa engraçada, o que me fez pensar que a minha escolha havia sido realmente acertada. Ponto pra mim: seria fácil me conectar à alegria. Mas eis que o mau humor de uma filha frustrada atravessou o meu caminho e, antes do café da manhã, tive que mediar um conflito digno da Faixa de Gaza. O dia seguiu, mas as crianças não estavam para brincadeira, e um sapato foi o motivo de nova discórdia.

Pega, acolhe, conversa, separa. Ufa. Minutos de sossego até que... "É minha vez!" "Não, é minha!" Conversa, apruma, refaz combinado e segue. A trégua veio na hora da tevê, porque as crianças respeitam acordos estabelecidos por elas mesmas.

O dia estava terminando, mas, antes, mais uma treta. Nesse momento, no auge do meu cansaço, decidi ser adulta. Juntei meus cacos e propus um jantar fora de casa, estilo acampamento. Escolhi o cardápio de paladar fácil, porque não dá para mudar o astral com sopa, né?

Com os hambúrgueres na mão, comecei a ladainha: "Hoje não foi um dia legal. Eu não estou me sentindo ouvida por vocês e isso faz com que eu fique muito frustrada e com raiva. Vocês sabem como a gente fica quando está com raiva, né?". E aí cada um falou como estava se sentindo, e chegamos a uma solução que seria testada nos próximos dias. O clima mudou e começamos uma cantoria boa, que terminou num banho quente, à luz de velas. Nem sempre vai ser fácil. Aliás, quase nunca será, mas a sensação de não ter desistido é incrível.

que seus pais não a tenham abandonado de fato. A sensação é legítima e compõe a memória da infância dentro de uma perspectiva infantil. Quando crescemos e cuidamos de uma lembrança como essa, podemos perceber que o fato não foi um abandono, e sim uma necessidade. A criança precisa se sentir vista e acolhida para conseguir lidar com essas situações desde um lugar possível e mais equilibrado. Quando são ignoradas, as dores se cristalizam e geram um maior impacto emocional. A consciência sobre as relações parentais nos coloca mais despertos às nossas responsabilidades com nossos filhos. O ato de sair para trabalhar não deve ser encarado como uma forma de abandono. Deve ser entendido como uma necessidade da família, e cada um dos cuidadores precisa encontrar novos pontos de conexão e presença com a criança. É o mergulho nas nossas histórias que nos dá a chance de cuidar do que sentimos.

Para perceber e comunicar nossas emoções, precisamos buscar as raízes das nossas crenças, entender o mosaico que compõe nossa individualidade. Sem isso, ficamos à deriva, sem algo que sustente nossas vontades, e podemos experienciar com frequência a sensação de estar dando murro em ponta de faca. É como se tivéssemos as ferramentas, mas não soubéssemos como ou por que usá-las.

O cuidado com as nossas emoções demanda um movimento que não carrega nenhum glamour ou iluminação espiritual. Pelo contrário, é braçal, dá trabalho. Exige disciplina e foco. Acreditar que somos de um jeito e mudanças são complexas é fácil. Difícil é entender que somos escolhas que fazemos para nós e sobre nós.

CARGA MENTAL: QUEM CARREGA? VOCÊ TEM UMA CHANCE PARA ADIVINHAR

Já que estamos falando sobre sentimentos e emoções, não podemos deixar de olhar para a exaustão materna. Uma mãe cansada tende a se misturar mais com as emoções de seus filhos e a se perder em seus caminhos internos de autocontrole. Ao serem colocadas no papel de principais cuidadoras, as mulheres acumularam funções, e hoje se debatem em um espaço onde não cabem mais.

> "Vivemos um momento de demandas conflitantes e impossíveis de atender. Na década de 1950, por exemplo, o que se esperava das mulheres se restringia ao lar, ao marido e aos filhos. Situação terrível para muitas, confortável para outras, tinha a única qualidade de ser bem explícita e coerente. Não quer dizer que funcionava, mas cada um sabia o que esperava de si. Hoje, nos vemos com demandas contraditórias e ambíguas, nas quais a liberdade de escolhas e as exigências paradoxais geram outras ansiedades."
>
> VERA IACONELLI

No entanto, as crianças não podem ser vítimas dessa exaustão, dessa opressão, dessa ambiguidade que as mulheres sentem e vivem. Os filhos são sempre o elo mais fraco de uma corrente poderosa que puxa a sociedade, e, por eles, é fundamental fazer uma correção de rota. Não dá para perpetuar as pequenas violências com novas pequenas violências. O desafio de criar filhos de uma forma mais afetuosa, respeitosa, no caminho do meio, demanda um compromisso que deve ser assumido por nós. É o compromisso de cuidar das nossas emoções, de observar nossos gatilhos, de encontrar caminhos de nutrição emocional responsáveis, para que na relação entre pais e filhos não caiba dor, e sim afeto. Para que o exercício da parentalidade seja encarado com tranquilidade e equilíbrio.

CAMINHOS POSSÍVEIS

Meu trabalho é mais o de fazer perguntas do que o de dar respostas. E isso pode gerar algum incômodo nas pessoas que gostam de fórmulas prontas para resolver questões complexas. No campo da nutrição emocional, do encontro com a criança interior e do acolhimento, não existem atalhos e a jornada é pessoal e intransferível. Você vai precisar encarar o mergulho, seja através de terapia e leituras, seja de retiros, de danças, de banhos quentes, de meditação. Não há uma direção certa nem uma errada. Seja qual for a sua escolha, comece a se movimentar na direção do seu centro e vá, no seu tempo, vá descobrindo as respostas que cabem na sua família, na sua história.

Para mim, o começo veio na ioga com uma pergunta muito simples:

— Por que é tão difícil ficar na minha própria companhia?

Precisei entender o desconforto que essas palavras expressavam para então encarar meus vazios. Foi aí que abri um portal de transformação que me trouxe até aqui e que ainda vai me levar por caminhos ora mais densos, ora mais suaves, mas todos dentro de mim. Continuo sendo uma mulher que acessa sua raiva com facilidade, mas que compreendeu que não precisa descarregá-la em ninguém, muito menos nos filhos. Foi e continua sendo um processo, uma escolha que faço todos os dias quando me levanto. E é por isso que sei que você pode fazer o mesmo.

6

Um convite: vamos desaprender?

Criança reclamando é chato. Criança reclamando de barriga cheia é quase insuportável. Mas se o meu desejo é ensinar sobre gratidão, sobre respeito, eu não posso desrespeitar a criança. Não posso silenciá-la para que ela faça o que estou mandando, se para isso ela precisa se diminuir. Não percebemos quanto isso é violento, porque ainda carregamos dentro de nós a frase: criança não tem querer. E quando elas demonstram sem o menor constrangimento o que querem, o gatilho é ativado na hora e a disputa de poder está instalada.

Para sair desse redemoinho, precisamos conseguir olhar para nossos filhos como pessoas, gente como a gente: cheias de frescuras, com dias melhores, dias piores e uma vontade imensa de se sentirem vistas, aceitas e amadas. Não precisamos disputar nada com eles e saber disso também ajuda na hora que o ego ferido grita de dor.

O que rege a sua relação: a necessidade de proteger seu filho das negatividades ou o desafio de falar sobre adversidades de um jeito que o ajude a construir um repertório emocional? O que estamos ensinando quando sempre respondemos que está "tudo bem"? Um pai que nunca chora e uma mãe que sempre minimiza o que sente se tornam seres irreais, inalcançáveis. E quem não erra ou não sofre não permite nem autoriza esse sentir no outro. Nessa dinâmica em que a emoção não tem espaço, são criados muros em vez de pontes.

Diálogo sinceros, marcados por afeto, mesmo em situações de dor, são parte da criação de um acervo de memórias que no futuro vai constituir um adulto saudável. Quando as crianças percebem os mecanismos dos adultos para lidar com as emoções – seja o choro ou a respiração, seja o tempo –, isso sugere a elas um modelo possível para lidar com as próprias emoções.

No entanto, aqui se desenha uma linha tênue, que merece ser analisada com bom senso. Acredito que todas as emoções podem ser compartilhadas com nossos filhos, mas nem todas as questões precisam ser divididas com as crianças. Você não precisa dizer que está com o nome sujo no Serasa; pode dizer apenas que está preocupada com questões de adultos. Pode dizer que o vovô está muito doente e que isso está deixando a mamãe triste, sem dizer que o vovô pode morrer. Você pode falar que teve um dia ruim no trabalho sem xingar a sua chefe. Pode falar que papai e mamãe, ou mamãe e mamãe, ou papai e papai, brigaram e se chatearam um com o outro, sem dizer que quer que o outro morra.

A honestidade emocional nos aproxima dos nossos filhos, cria um lugar muito especial de intimidade, mas em momento nenhum ela deve ser exercida de modo que eles se sintam responsáveis pelas dores dos pais, e cabe a nós cuidarmos para que isso não aconteça. Para tanto, nada é mais poderoso do que o nosso olhar para a criança e o nosso entendimento de quem é o adulto na relação. Com isso, é possível estabelecer uma relação de confiança e não de dependência, na qual a criança sabe que o pai e a mãe são pessoas reais mas que, mesmo nas situações de sofrimento, continuam sendo portos seguros.

Filhos provocam sentimentos ambivalentes. Se por um lado a transformação em mãe ou pai carrega uma força e uma beleza, por outro traz desconfortos e emoções inéditas. Nos vemos poderosos, mas também vulneráveis. E não falamos sobre isso. Aquilo que parece fraqueza logo se torna escudo, e nos colocamos em embates com nossas crianças desde muito cedo. Sentimos que precisamos nos defender daquilo que não conhecemos, e assim negamos o nosso desconhecimento diante dos nossos filhos e seguimos acreditando que cuidadores sabem tudo ou têm a maioria das respostas. O que precisa ficar muito claro é que criar filhos é um dos maiores exercícios de vulnerabilidade e de resiliência que podemos viver, porque, mesmo com os nossos muitos medos, eles continuam esperando da gente a guiança, a margem.

Falar sobre novos modelos de relação entre adultos e crianças neste momento contemporâneo é abrir feridas e também encarar o convite para sair da zona de conforto. A busca por dinâmicas mais equilibradas, por diálogos sem briga, por ouvir e acolher não é fácil nem simples. Demanda dos adultos uma disponibilidade para mover engrenagens e tirar a poeira emocional de debaixo do tapete. É como um grande processo de autoconhecimento, em que as crianças são os mestres. Acontece que, para aceitar os filhos como guias espirituais, é necessário cuidar do ego para se olhar com verdade, ainda que seja doloroso, e abrir espaço interno para conversas sinceras.

"Todos nós sabemos alguma coisa.
Todos nós ignoramos alguma coisa.
Por isso aprendemos sempre."

PAULO FREIRE

Se eu pudesse escolher apenas uma ferramenta para ajudar pais, mães, madrastas, padrastos, qualquer cuidador, seria o diálogo. Sim, conversas sinceras constroem pontes e promovem revoluções. Mas será que a gente sabe como conversar? Não é raro ouvir reclamações sobre a dificuldade da criança de ouvir. "Eu falo, falo, falo e meu filho não me escuta!", dizem as mães, acreditando que estão praticando o diálogo, quando na verdade é um monólogo.

O diálogo pressupõe que existem a minha verdade e a verdade do outro. Não é sobre certo e errado apenas. Não é sobre convencimento. É sobre aprender a se colocar e também acolher. Estamos na era da profusão da informação, o que nos leva a muitos questionamentos, o que é ótimo. Esses questionamentos nos fazem rever posturas e crenças, mas esse movimento é individual, e não coletivo. Não faz sentido, portanto, a gente querer que todo mundo pense igual ou que aja da mesma forma. O importante aqui é deixar a porta aberta para que os curiosos possam entrar e se sentar confortavelmente para entender as coisas de um outro ponto de vista.

Uma das questões mais intensas quando falamos sobre a criação de filhos são as divergências entre os pais na condução dos processos com as crianças, ou seja, quando pais e mães têm percepções totalmente diferentes sobre o que é certo e o que é errado na educação ou sobre como cada desafio deve ser resolvido na dinâmica familiar. Essa diferença se apresenta de forma intensa e dolorosa na medida em que transforma o que deveria ser uma equipe em íntimos desconhecidos que ocupam lugares de oposição, disputa e quase guerra. No casal, esse tipo de descompasso pode sim levar a uma ruptura. Para pais e mães já separados, a falta de coerência na forma de lidar com as situações atrapalha o que já é difícil e corrói a maneira como cada um se vê. Mas não é só. Às vezes, a diferença se estabelece entre a mãe e a sogra, entre a filha e a mãe, entre as cunhadas ou até mesmo entre irmãos. Fato é que respeitar as diferentes formas de educação das crianças não é simples. Seria mais fácil se educar com respeito, sem castigos e ameaças, fosse amplamente praticado, sem maiores questionamentos.

Sim, existe uma resistência por parte das pessoas em geral a se abrir para tudo aquilo que é novo, e nas relações familiares não é diferente. A possibilidade de se desfazer da forma como fomos criados e encarar outros caminhos com os filhos causa grandes desconfortos, e os adultos normalmente têm muita dificuldade em se desapegar do que eles entendem como certo, mas que na verdade é só o conhecido. É importante ficar atento, no entanto, para que isso não nos coloque em posturas de embate sempre que alguém discordar da maneira como criamos nossos filhos. As mudanças não são percebidas da mesma maneira pelas pessoas, e quando alguém se posiciona contra a sua verdade ou as suas crenças, isso não quer dizer que existe um lado certo e um errado, que existe o bom e o mau. Vejo muitas mães sofrendo porque a sogra não respeita, a mãe não colabora, nem o companheiro acredita num novo jeito de ver as relações parentais. Precisamos aceitar que não controlamos como o mundo se relaciona com as crianças.

Mas as diferenças nos dão a oportunidade de reforçar o que acreditamos, ainda que nos sintamos num caminho solitário. Não podemos mudar ninguém, e o trabalho de mudar a si mesmo já é grande. Esta deve ser a nossa missão: cuidar daquilo que está sob nosso controle e entender que isso basta. Pais e mães em lados opostos podem gerar conflitos emocionais nas crianças? Sim. Mas elas aprendem rapidamente o que esperar e de quem. As crianças são capazes de ver os pais sem suas máscaras e compreendem como cada um se relaciona. É isso que estabelece a relação que será desenvolvida com cada um dos cuidadores. Acreditar que todas as pessoas vão desenvolver relações iguais com a mesma criança é uma ilusão. Aceitar as diferenças é parte de uma escolha empática com o mundo. Nesse processo, diante das diferenças que surgem, o mais importante é estabelecer limites que mantenham as crianças em segurança, que não as exponham a quaisquer riscos.

Sabe aquele pai que não consegue resolver nada no diálogo e sempre responde ao filho com irritação, com truculência? O pai que não entende a importância do acolhimento após um erro? Ou ainda aquele homem que não consegue se livrar das ideias sobre castigo ou palmadas? Ele tem uma razão para agir assim, que está ligada a como agiam com ele e como isso ainda é marcante nas suas escolhas e no seu jeito de ver o mundo.

A sogra que insiste em ofertar um biscoito açucarado para o neto de 2 anos não faz isso pelo prazer de enfrentar a nora ou pela vontade de viciar o neto. Ela simplesmente reconhece afeto naquele gesto, porque talvez tenha recebido esse tipo de afeto em uma época em que a comida simbolizava isso.

Quando a avó materna faz críticas sobre o nível de tolerância da mãe com o filho, ela está falando sobre a própria incapacidade de ter sido tolerante com a filha. A maternidade agora é um retrato das suas limitações e das dores que ela nem sabia que carregava. Através da filha, essa dor é revelada e muita coisa precisa ser acomodada internamente.

Minha maternidade não está na vitrine. E por isso não me alimento dos olhares externos. Faço diariamente o exercício de me concentrar no presente, no que as crianças me trazem, para definir caminhos junto com elas. E isso já demanda muito. Não é justo maternar para outra plateia que não os meus filhos. E eu materno sem medo de errar, porque já sei que o erro faz parte, é do fluxo natural das relações. Por que temer algo que está ali me acompanhando e me melhorando?

Quando a gente vive a jornada da parentalidade sem a necessidade de agradar, não busca recompensas, olhares de aprovação. Não nos sentimos em cima do muro ou desconfiados das nossas decisões e posturas. Não esperamos, apenas vivemos o compromisso de estabelecer relações profundas com as nossas crianças, que nos devolvem com a sua inteireza e também os seus defeitos. Elas podem errar, nós podemos errar, e que bom que é ser de verdade!

A necessidade de agradar, de cuidar do que o outro pensa e sente, tira da gente o poder de escolha, drena nossa energia e nossa verdade. Vive-se para um público que é crítico, duro e indisponível para o acolhimento, para ser rede, para fazer junto. A opinião dos outros é um fantasma que a gente alimenta na mesma proporção que nos mata de fome. E assim, com essa constatação, eu decido e silencio esses outros, esses tantos, para me dedicar aos meus. Vamos juntos?

Não se trata, no entanto, de transformar todas as pessoas que pensam diferente de você em inimigos, pois isso não é produtivo para a dinâmica familiar. Conseguir acolher e permitir as diferenças pode ser um processo doloroso, principalmente para a mãe que se disponibiliza a perceber e viver as novas relações parentais. Não deixe que o ressentimento e a necessidade de ser aprovada pelas pessoas que compõem a sua vivência materna te façam criar barreiras ou muros entre essas pessoas e seus filhos. O crescimento que nossos filhos promovem em nossa vida passa também por esse tipo de situação, que é difícil, sim, mas igualmente transformadora. Se perceba errante, acolha as divergências e cuide dos julgamentos. O desconforto faz parte do processo – aliás, sem desconfortos, não somos defrontados com situações nas quais precisamos encontrar novas saídas e, assim, não crescemos.

A verdade é que criar filhos demanda de todos nós o exercício constante da empatia, e esse conceito é relativamente novo para nós. Desejamos que nossos filhos sejam pessoas empáticas, porém ainda nos digladiamos com esse conceito. A empatia exige da gente algo muito simples e ao mesmo tempo sofisticado, que é o nosso silêncio. Ou o espaço entre o que eu penso e o que a outra pessoa está me dizendo. Ao ouvir e acolher, não é preciso ter respostas, fazer comparações, lembrar como poderia ter sido pior. Ofertar ouvidos atentos e coração aberto é um jeito de dizer "eu te amo", "eu te vejo". É assim que as conexões são estabelecidas e os vínculos se formam.

A disponibilidade para ouvir promove uma mágica. Ao perceber as falas das pessoas como oportunidades de acessar necessidades não atendidas, somos capazes de transformar o conflito em caminho. Esse é um processo sem volta. Uma vez iniciada a jornada pela empatia, alteramos o campo energético que nos envolve, mudamos a nossa forma de nos relacionar com o mundo, com o outro. E isso não tem nada de milagre ou de religiosidade. É mais simples: é sobre a escolha de viver uma vida olhando nos olhos dos outros.

Isso não quer dizer que vamos nos tornar pessoas boazinhas, de fala mansa e sempre equilibradas. Que vamos ceder, fazer o que o outro quer. Não precisamos ter medo de ouvir nossos filhos ou de acolher suas dores e até seus desafios. Eles esperam da gente essa capacidade de enxergá-los, de ver quem eles são para além das nossas expectativas. E todo pai e mãe, toda pessoa que se disponibiliza a cuidar de uma criança tem dentro de si a resposta e o caminho, basta despertar.

Ser pai e mãe é sim algo natural e instintivo, mas contar apenas com essa voz primitiva, com essa força selvagem, é insuficiente. Precisamos trazer luz para certas áreas da relação parental através da consciência. Essa consciência não é uma iluminação mágica, nada disso. É um comprometimento com uma jornada que dura a vida inteira e que nos conduz por diferentes caminhos a cada filho que chega. Não é sobre conhecer estratégias ou técnicas que precisam ser seguidas para alcançar determinados comportamentos. É sobre mudar a maneira como nos percebemos e, com isso, nos tornar capazes de desenhar um mapa particular que nos leva a uma relação mais equilibrada com a criança.

Sei que este livro poderia ser mais fácil se ao final eu te entregasse um passo a passo ou dicas infalíveis para você reverter situações desafiadoras com sua criança de 0 a 25 anos, mas não acredito nesse tipo de abordagem a longo prazo. Ter filhos é perder o controle e habitar terras desconhecidas. A cada fase ou etapa, vamos encontrar pedaços novos da gente, mostrados nos espelhos que as crianças carregam. Espelhos que refletem nossa alma e nos revelam de maneiras que nem sempre gostamos de enxergar. Não precisamos desviar desses espelhos. Encará-los é a melhor forma de integrar nossas partes e seguir em paz. Ao entender que vamos atravessar essas fases, que elas vão passar, somos convidados a estar presentes: é no aqui e no agora que se constrói a relação com nossos filhos. E isso é muito importante. Muitas vezes, nossos medos e nossas projeções nos roubam a capacidade de ver a força do presente; nos adiantamos, antecipamos problemas inexistentes e assim permitimos que nossa energia se esvaia.

O presente nos chama: observe e reconheça seu filho. Quem ele é em sua essência?

Estar no presente é abrir mão das projeções e ser capaz de escolher pausar. Temos tantas urgências para resolver, e tanta urgência em consertar nossas crianças, que raramente entendemos a pausa como estratégia. Mas se lembrar de respirar é uma ferramenta extremamente poderosa, pois nos tira do piloto automático, do modo reativo. A escolha por não reagir nos direciona para respostas internas a fim de entender de onde vem a reação.

Viver a presença das relações nos permite também existir ao lado dos nossos filhos, sem querer controlar o quê, como, onde. Nos incita a abandonar expectativas e nos abre à possibilidade de desenhar uma relação com as crianças de um jeito único, autêntico, carregado de intenção.

Sei que somos tomados pelo medo quando pensamos no futuro das crianças e que esse medo rege grande parte das nossas atitudes e decisões.

É por medo que não acolhemos, é por medo que não ouvimos, é por medo que dizemos não, é por medo que queremos controlar. Mas o medo é apenas uma ferramenta de controle, e não de conexão.

Quando você pensa no seu filho, que medos tomam o seu coração?

O que em seu filho é causador desse medo?

O medo dificilmente está ligado ao que a criança apresenta, e sim ao que nós carregamos como medida de sucesso, como certo e errado, como ideia do que é ser bom pai ou boa mãe, e à nossa relação com o erro. A consciência sobre a raiz dos medos nos permite libertar nossos filhos, porque são nossos medos que criam os medos das crianças, e a solução para encerrar esse repasse de feridas emocionais é observar as projeções que fazemos nas crianças. O medo é nosso apego ao que deveria ser, uma fixação no futuro e suas ameaças, enquanto viver no presente nos coloca diante da possibilidade de trocar a ansiedade do desconhecido pela coragem.

Observe os medos que você descreveu e analise: eles são medos do presente, do passado ou do futuro?

Ancorar é fincar os pés no aqui e agora. É se entregar às novidades que vão surgindo, que não controlamos. É entender e aceitar a parte que nos cabe e o tamanho que temos. Nossos filhos não precisam de pais perfeitos. Eles desejam pais disponíveis para viver a vida como ela é: com erros e acertos, com rupturas e reparações. Não é sustentável nutrir a fantasia de cuidadores que sempre acertam, que sempre sabem o que fazer ou o que dizer. Precisamos errar com nossos filhos até para aceitar que eles também vão errar com a gente. Precisamos errar com nossos filhos para que eles aprendam sobre humanidade e entendam que o valor deles não está nos acertos, mas em quem eles são.

É uma longa estrada, que não tem atalhos nem mapas. Não tem jeito fácil nem indolor. Vamos enfrentar fantasmas, monstros, vamos nos enfrentar. Vamos atravessar etapas difíceis e outras nem tanto. Vamos rir e também chorar, porque chorar faz parte. Ter filhos é um ato de coragem, uma missão para a vida toda. Está tudo bem em não saber o caminho certo, porque a verdade é que ele vai sendo construído à medida que nos disponibilizamos a aprender. Para essa travessia, leve consigo a humildade, a vontade de se conhecer e reconhecer. Leve também um copo cheio de afeto e não tenha medo de ele transbordar. Amor é contagiante quando é livre. Seja honesto com seus limites e anote: sua criança não tem nenhuma fantasia sobre você. Ela está disposta a aceitar sua existência como ela é. Para que essa relação floresça, você precisa fazer o mesmo. Espero que esse não seja um ponto-final. Que você escolha continuar desaprendendo. Por você e por seu filho.

referências bibliográficas

BARRETO, Adalberto de Paula. *Terapia comunitária passo a passo*. Fortaleza: LCR, 2008.

BOWLBY, John. *Apego*: A natureza do vínculo. São Paulo: Martins Fontes, 2002.

BOWLBY, John. *Separação*: Angústia e raiva. São Paulo: Martins Fontes, 2004.

BOWLBY, John. *Perda*: Tristeza e depressão. São Paulo: Martins Fontes, 2002.

BROWN, Brené. *A coragem de ser imperfeito*: Como aceitar a própria vulnerabilidade, vencer a vergonha e ousar ser quem você é. Rio de Janeiro: Sextante, 2013.

CALLIGARIS, Contardo. "Outra causa da morte de Miguel". *Folha de S. Paulo*. São Paulo: 18 de junho de 2020

CHÖDRÖN, Pema. *Os lugares que nos assustam*: Um guia para despertar nossa coragem em tempos difíceis. Rio de Janeiro: GMT, 2003.

DARWIN, Charles. *A expressão das emoções no homem e nos animais*. São Paulo: Companhia de Bolso, 2009.

DEL PICCHIA, Beatriz; BALIEIRO, Cristina. *Círculos de mulheres*: As novas irmandades. São Paulo: Ágora, 2019.

DUNKER, Christian; THEBAS, Cláudio. *O palhaço e o psicanalista*: Como escutar os outros pode transformar vidas. São Paulo: Planeta, 2019.

FALK, Judit. *Educação infantil*: Abordagem Pikler. São Paulo: Omnisciência, 2016.

FREIRE, Paulo. *A importância do ato de ler*: em três artigos que se completam. São Paulo: Cortez, 2017.

GOPNIK, Alison. *O jardineiro e o carpinteiro*: O que a nova ciência do desenvolvimento infantil nos diz sobre a relação entre pais e filhos. Lisboa: Temas e Debates, 2017.

IACONELLI, Vera. *Criar filhos no século XXI*. São Paulo: Contexto, 2019.

LARA, Diogo. *Imersão*. Um romance terapêutico. Rio de Janeiro: Harper Collins, 2018.

LILLARD, Paula Polk. *Método Montessori*: Uma introdução para pais e professores. Barueri: Manole, 2017.

NELSEN, Jane. *Disciplina positiva*: O guia clássico para pais e professores que desejam ajudar as crianças a desenvolver autodisciplina, responsabilidade, cooperação e habilidades para resolver problemas. Barueri: Manole, 2015.

ROTTER, Julian B. "Generalized Expectancies For Internal Versus External Control of Reinforcement." *Psychological Monographs: General and Applied*. Vol. 80, N. 1, p. 1-21. Hartford, 1966.

TSABARY, Shefali. *Pais e mães conscientes*: Como transformar nossas vidas para empoderar nossos filhos. Rio de Janeiro: Bicicleta Amarela, 2017.

WINNICOTT, D. W. *A criança e o seu mundo*. São Paulo: LTC, 1978.